글 읽기 능력 향상을 위한

초등국어
독해왕

2
단계

이룸이앤비
Education & Books

모든 공부를 잘하기 위한 첫걸음
국어 독해(글 읽기)

왜? 초등학생에게 국어 독해(글 읽기)가 중요할까요?

　우리에게 전달되는 정보는 국어(문자)로 이루어져 있고 그 정보를 이해하고 습득하는 능력은 독해 능력과 깊이 연관되어 있습니다. 초·중·고교생, 더 나아가 어른이 되어서도 학습 능력의 기본은 독해 능력이라고 해도 무방할 정도입니다. 따라서 독해 능력이 뛰어난 학생은 많은 양의 학습 정보를 다른 학생보다 훨씬 쉽고 빠르게 습득할 수 있습니다.

　글 읽기 능력은 국어뿐 아니라, 사회·과학·수학·영어 등 다른 과목의 학습 능력에도 지대한 영향을 끼친다고 합니다. 많은 전문가들은 어릴 때 자연스럽게 형성된 독서 습관이 모든 학습의 첫걸음이라고 말합니다.

　초등학생 때 글을 읽고 이해하고 문제를 해결하는 능력, 즉 국어 독해 능력은 모든 공부의 큰 힘이며 평생을 좌우할 학습 능력의 첫걸음이자 디딤돌입니다.

"초등국어 독해왕" 시리즈는
학부모님들의 의견을 충분히 반영하였습니다

의견 1 → 다양한 글을 읽히고 싶어요. 설명문, 논설문, 전기문, 동화, 동시, 생활문, 기행문 등 다양한 종류의 글과 인문, 사회, 과학, 예술 등 다양한 분야의 글이 모여 있는 책이 있었으면 좋겠어요.

의견 2 → 평소 책을 좋아하지 않는 아이도 쉽고 재미있게 글 읽기 훈련을 할 수 있는 책이 있었으면 좋겠어요.

의견 3 → 글 읽기를 20~30분 정도 짧게 집중해서 하고 글을 잘 이해했는지를 점검할 수 있는 문제집이 있었으면 좋겠어요.

의견 4 → 글 읽기에서 어떤 부분이 부족한지, 또 어떤 종류의 글 읽기를 좋아하고 싫어하는지를 판단할 수 있었으면 좋겠어요.

의견 5 → 글의 주제나 요지 파악, 제목 찾기 등을 쉬운 수준부터 차근차근 단계별로 훈련할 수 있는 책이 필요해요.

의견 6 → 아이 혼자 스스로 조금씩 꾸준하게 공부할 수 있도록 학습 계획 (스케줄)을 쉽게 짤 수 있는 교재가 있었으면 좋겠어요.

의견 7 → 학부모가 아이를 지도하기 쉽게 해설이 자세한 독해 연습서가 있었으면 좋겠어요.

❶ 일차별·단계별 구성

하루의 학습량을
초등학생이 집중력을
유지할 수 있는 약 20~30분
분량, 2~3개 지문으로
구성하였습니다.

❷ 다양한 종류의 글

재미와 흥미를 유발할 수
있는 문학(동시, 동화, 기행문,
전기문 등)과 비문학(설명문, 논설문,
안내문, 소개문, 실용문 등) 등
다양한 종류의 글로 구성
하였습니다.

❸ 다양한 문제

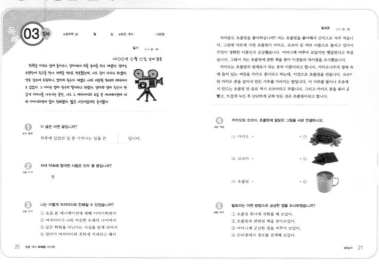

글의 중심 내용, 핵심어, 주제,
목적 등을 정확하게 이해하는지를 묻는
사실적 이해 문항과 이를 바탕으로
다른 상황에 적용, 추론할 수 있는지를
묻는 다양한 문제로 구성하여
효율적인 독해 훈련이
가능하도록 하였습니다.

❹ 어휘력 체크체크

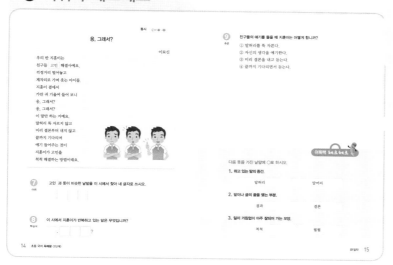

매일매일 공부한 글에
나온 중요한 낱말들의 뜻을
확인하고 문제를 통해
기억할 수 있도록
하였습니다.

❺ 어휘 학습 및 테스트

5일 동안 공부한 지문 중에서
주요 어휘들을 골라 다시 써 보고
간단한 문제로 반복 학습을 할 수
있도록 하였습니다. 어휘력은
국어 능력의 주요 지표 중
하나입니다.

❻ 정답 및 해설

모든 문제는 해설을 통해
자세하고 친절하게 설명하였습니다.
스스로 공부하는 **학생**에게는
자기 주도 학습의 길잡이가 되고
학부모님과 선생님께는
학습 지도 자료로 활용될 수
있도록 하였습니다.

차례 및 학습 계획

하루의 학습량을 초등학생이 집중력을 유지할 수 있는
약 20~30분 분량, 3개 지문으로 구성하였습니다.

공부한 날

■ 정답 및 해설
　(자기 주도 학습 또는 학습 지도를 위한 별책)

학부모 및 선생님을 위한
초등국어 독해왕의 공부 지도법

"자기 주도 학습을 실천하도록 돕는 것이 중요합니다!!!"

이 책의 공부 지도법

01 조금씩 꾸준히 공부하도록 합니다.
생각날 때마다 공부하는 것은 좋지 않습니다. 매일매일 하지는 않더라도 월수금, 화목 등등처럼 규칙적인 계획을 세워서 공부하도록 지도합니다.

02 20~30분 집중하여 학습하도록 합니다.
한 번에 2~3지문을 20~30분 동안 지도합니다. 초등학생에게 조금 긴 시간일 수도 있지만 집중해서 공부하도록 하는 것이 중요합니다.

03 글의 핵심을 잘 이해했는지 점검합니다.
글을 읽고 어떤 내용인지 말해 보게 합니다. 잘 모르는 경우에는 다시 읽어 보게 합니다. 그래도 이해가 되지 않는다면 나중에 반복 학습을 할 수 있도록 지도합니다.

04 맞은 문제와 틀린 문제를 표시하도록 합니다.
맞은 문제 중에는 대충 찍어서 맞힌 문제도 있습니다. 실제로 정확하게 이해한 문제를 제외하고 다시 한번 글을 읽고 풀어 보도록 합니다.

05 어떤 유형의 문제를 자주 틀리는지 확인하도록 합니다.
독해 문제에는 여러 유형들이 있습니다. 주제 찾기, 내용 파악, 적용하기 등에서 학생이 자주 틀리는 문제 유형이 무엇인지를 파악하여 가장 적절한 해결 방법을 안내하도록 합니다.

01~05 일차

보고 싶은 할머니께!

　할머니, 안녕하세요? 저는 할머니의 사랑스런 손자 민재예요. 추웠던 겨울이 지나가고 벌써 방학도 끝났어요. 겨울 방학 때는 할머니 댁에서 사촌 형들과 재미있게 놀았는데, 오늘은 개학을 해서 학교에서 친구들과 놀았어요. 방학이 끝난 것은 아쉽지만 친구들을 다시 만나서 좋기도 해요. 새 학기가 시작되었으니 할머니께서 말씀하신 것처럼 열심히 공부할게요. 특히 국어 공부를 열심히 할 거예요. 건강히 계세요.

2000년 ○월 ○일

손자 민재 올림

1 이 글은 어떤 글입니까?

글의 종류

민재가 할머니께 쓴 　　　　　　입니다.

2 겨울 방학 때 민재는 어디에서 누구와 놀았습니까?

내용 파악

　　　　　　댁에서 　　　　　　들과 놀았습니다.

3 새 학기를 맞이하여 민재는 무엇을 다짐했습니까?

내용 파악

① 선생님 말씀 잘 듣기

② 국어 공부 열심히 하기

③ 친구들과 사이좋게 지내기

④ 할머니께 연락 자주 드리기

종이는 식물 속에 있는 섬유로 만듭니다. 나무와 같은 식물에서 섬유 물질을 뽑아내고, 그것을 모아 얇게 펴는 방법으로 종이를 만들었습니다. 하지만 처음부터 식물을 원료로 종이를 만들었던 것은 아닙니다. 종이가 발명되기 전에 사람들은 대나무나 돌에 글씨를 썼습니다. 이집트에서는 파피루스라는 식물의 줄기를 얇게 벗겨 가로세로로 겹쳐 놓고 무거운 것으로 눌러서 그 위에 글씨를 썼습니다. 그리스에서는 소나 양의 가죽에 글씨를 쓰기도 했습니다.

이렇게 종이 대신 다양한 재료를 사용하다가, 지금으로부터 약 2,000년 전 중국에서 종이를 발명했습니다. 중국 사람들은 나무껍질을 가루로 만들고 물에 섞은 다음, 그것을 얇게 펴서 말려 종이를 만들었습니다. 이것은 오늘날 식물에서 섬유를 뽑아내 종이를 만드는 방법과 가장 비슷합니다.

---

❹ 이 글에서 설명하고 있는 것은 무엇입니까?

중심 내용

☐☐ 의 역사와 만드는 방법

---

❺ 다음의 '나라'와 글씨를 썼던 '방법'을 선으로 연결하시오.

내용 적용

(1) 이집트 •

• ㉠ 소나 양의 가죽에 글씨를 씀.

(2) 그리스 •

• ㉡ 파피루스의 줄기를 겹쳐 놓고 무거운 것으로 눌러서 그 위에 글씨를 씀.

---

❻ 종이는 언제, 어느 나라에서 발명되었습니까?

내용 파악

① 약 1,000년 전 그리스

② 약 1,000년 전 이집트

③ 약 2,000년 전 중국

④ 약 2,000년 전 이집트

응, 그래서?

이묘신

우리 반 지훈이는
친구들 고민 해결사예요.
걱정거리 털어놓고
제자리로 가며 웃는 아이들.
지훈이 곁에서
가만 귀 기울여 들어 보니
응, 그래서?
응, 그래서?
이 말만 하는 거예요.
말허리 뚝 자르지 않고
미리 결론부터 내지 않고
끝까지 기다리며
얘기 들어주는 것이
지훈이가 고민을
척척 해결하는 방법이래요.

❼ 고민 과 뜻이 비슷한 낱말을 이 시에서 찾아 네 글자로 쓰시오.

어휘

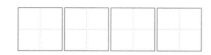

❽ 이 시에서 지훈이가 반복하고 있는 말은 무엇입니까?

핵심어

☐☐ , ☐☐☐☐ ?

9 친구들의 얘기를 들을 때 지훈이는 어떻게 합니까?

추론

① 말허리를 뚝 자른다.

② 자신의 생각을 얘기한다.

③ 미리 결론을 내고 듣는다.

④ 끝까지 기다리면서 듣는다.

어휘력 체크체크

다음 뜻을 가진 낱말에 ○표 하시오.

1. 하고 있는 말의 중간.

말허리   말머리

2. 말이나 글의 끝을 맺는 부분.

결과   결론

3. 일이 거침없이 아주 잘되어 가는 모양.

척척   펄펄

소개문   문제 ①~③

우리 학교 정문 건너편에는 '보물 문구점'이 있습니다. 보물 문구점의 크기는 종합 문구점보다 훨씬 작지만 있어야 할 것은 다 있습니다. 수업 시간에 필요한 준비물도 있고, 갑자기 색연필이 필요할 때에도 쉽게 살 수 있습니다. 특히 내가 좋아하는 예쁜 편지지들이 많이 있어서 좋습니다. 가장 좋은 점은 문구점 아저씨가 친절하시다는 것입니다. 아저씨는 항상 크게 웃으면서 인사해 주시고, 물건도 금방 찾아 주십니다. 그래서 나는 보물 문구점이 참 좋습니다.

1 이 글은 어떤 글입니까?

글의 종류

보물 문구점을 ☐☐ 하는 글입니다.

2 보물 문구점의 위치와 크기는 어떠합니까?

내용 파악

(1) 보물 문구점의 위치: 우리 학교 정문 ☐☐☐

(2) 보물 문구점의 크기: 종합 문구점보다 훨씬 ☐☐ .

3 내가 보물 문구점을 좋아하는 가장 큰 이유는 무엇입니까?

내용 파악

① 예쁜 편지지가 많아서

② 문구점 아저씨가 친절하셔서

③ 색연필을 쉽게 살 수 있어서

④ 수업 시간에 필요한 준비물이 있어서

『파브르 곤충기』는 곤충을 좋아하는 나를 보고, 아버지께서 추천해 주신 책입니다. 나는 장수풍뎅이를 키우면서 곤충에 관심을 가지게 되었는데, 파브르는 시골에 살면서 곤충을 좋아하게 되었다고 합니다. 가정 형편이 어려워 시골 할아버지 댁에서 지낸 것이 오히려 파브르에게는 좋은 기회가 된 것입니다. 나중에 도시로 이사를 한 후에도 파브르의 곤충 사랑은 계속되었습니다.

파브르는 가난 속에서도 열심히 공부를 해 선생님이 되었고, 선생님이 되어서도 틈틈이 곤충을 관찰했습니다. 거의 매일 곤충을 관찰하는 파브르를 보고 사람들은 비웃었지만, 파브르는 곤충 연구를 포기하지 않았습니다. 나는 이 책을 읽으면서, 어려운 환경에도 불구하고 곤충 연구를 계속한 파브르가 정말 멋있다고 생각했습니다. 나도 파브르의 끈기 있는 모습을 닮아야겠습니다.

❹ 이 글의 종류는 무엇입니까?

글의 종류

☐☐ ☐☐☐

❺ 내가 『파브르 곤충기』를 읽게 된 이유는 무엇입니까?

내용 파악

☐☐☐ 께서 추천해 주신 책이기 때문입니다.

❻ 나는 파브르의 어떤 모습을 닮고 싶다고 했습니까?

추론

① 자연을 사랑하며 산과 들을 다니는 모습
② 선생님으로서 열심히 학생들을 가르치는 모습
③ 시골 할아버지 댁에서 즐겁게 지내는 모습
④ 어려운 환경에서도 끈기 있게 연구하는 모습

　　나무의 줄기나 가지를 자른 면을 보면 둥근 원 모양이 여러 개 있는 것을 볼 수 있습니다. 이것을 나무의 '나이테'라고 합니다. 그런데 나이테는 왜 생길까요?

　　봄부터 여름까지는 햇빛이 강하고 물도 충분해서 나무가 자라기 좋은 환경입니다. 그래서 나무가 잘 자랍니다. 하지만 가을부터는 햇빛이 약해지고 기온도 낮아지면서 나무가 자라는 속도가 느려집니다. 나이테에 있는 진한 색 원은 나무가 잘 자라지 못한 가을부터 겨울 사이에 만들어지는 것입니다. 우리나라처럼 계절 변화가 뚜렷한 곳에서는 일 년에 하나씩 고리 모양의 나이테가 생깁니다. 그래서 나이테의 수를 세어 보면 나무의 나이를 짐작할 수 있습니다.

　　나이테로 나무의 나이 말고 또 무엇을 알 수 있을까요? 나무의 나이테를 자세히 살펴보면 나이테의 폭이 유난히 넓은 것도 있고, 폭이 좁은 것도 있습니다. 비가 많이 오고 햇빛이 잘 들어 나무가 많이 자란 해에는 나이테의 폭이 넓고, 가뭄이 들거나 햇빛을 많이 받지 못한 해에는 성장이 더뎌 나이테의 폭이 좁습니다. 그래서 유난히 나이테의 폭이 좁을 때는 그 해에 가뭄이 심하게 들었다는 것을 추측할 수 있습니다. 이렇게 나무의 나이테를 관찰하면 옛날의 날씨를 짐작할 수도 있습니다.

---

❼ **글쓴이가 이 글을 쓴 이유는 무엇입니까?**

글의 목적

　　나이테에 대한 여러 가지 ☐☐ 를 알려 주기 위해서입니다.

---

❽ **나이테가 만들어질 수 있는 조건은 무엇입니까?**

추론

　　우리나라처럼 ☐☐☐☐ 가 뚜렷해야 합니다.

9 가뭄이 심하게 든 해에 만들어진 나이테는 어느 것입니까?

내용 적용

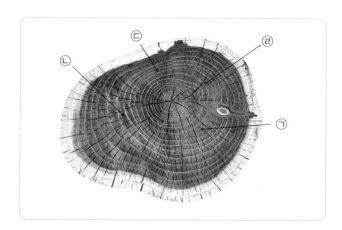

10 나이테를 보고 알 수 있는 것을 두 가지 고르시오.

중심 내용

① 나무의 종류

② 나무의 나이

③ 옛날의 날씨

④ 나뭇잎의 색깔

다음 뜻을 보고 어떤 낱말인지 [보기]에서 찾아 쓰시오.

보기

가뭄   짐작   장마

1. 뜻: 사정이나 형편 따위를 어림잡아 헤아림.

예 그는 비밀이 금방 드러날 것이라고 ☐☐했다.

2. 뜻: 오랫동안 계속하여 비가 내리지 않아 메마른 날씨.

예 오랜 ☐☐ 끝에 비가 시원하게 내렸다.

일기   문제 **①~③**

ㅗ○○○년 ○월 ○일, 날씨 맑음

　학원을 마치고 집에 돌아오니, 엄마께서 외출 준비를 하고 계셨다. 엄마는 오랜만에 친구를 만나 저녁을 먹기로 약속했는데, 나도 같이 가자고 하셨다. 약속 장소에 도착하니, 엄마의 친구가 계셨고 나와 비슷한 또래의 여자아이도 있었다. 그 아이는 엄마 친구의 딸이라고 하였다. 엄마와 엄마 친구가 반갑게 이야기를 나누시는 동안, 나도 그 여자아이와 요즘 본 애니메이션에 대해 이야기하면서 많이 친해졌다. 짧은 시간이었지만 즐거웠다.

①
글의 종류

이 글은 어떤 글입니까?

하루에 있었던 일 중 기억나는 일을 쓴 ☐☐ 입니다.

②
내용 파악

저녁 약속에 참여한 사람은 모두 몇 명입니까?

☐ 명

③
내용 파악

나는 어떻게 여자아이와 친해질 수 있었습니까?

① 요즘 본 애니메이션에 대해 이야기하면서
② 여자아이가 나와 비슷한 또래의 나이여서
③ 같은 학원을 다닌다는 사실을 알게 되어서
④ 엄마가 여자아이와 친하게 지내라고 해서

　여러분도 초콜릿을 좋아하십니까? 저는 초콜릿을 좋아해서 간식으로 자주 먹습니다. 그런데 마트에 가면 초콜릿이 카카오, 코코아 등 여러 이름으로 불리고 있어서 무엇이 정확한 이름인지 궁금했습니다. 어머니께 여쭈어 보았지만 헷갈린다고 하셨습니다. 그래서 저는 초콜릿에 관한 책을 찾아 이것들의 차이점을 조사했습니다.

　카카오는 초콜릿의 원재료가 되는 콩의 이름이라고 합니다. 카카오나무의 열매 속에 들어 있는 씨앗을 카카오 콩이라고 하는데, 이것으로 초콜릿을 만듭니다. 코코아란 카카오 콩을 갈아서 만든 가루를 가리키는 말입니다. 이 가루를 물이나 우유에 타서 만드는 초콜릿 맛 음료 역시 코코아라고 부릅니다. 그리고 카카오 콩을 볶아 곱게 빻고, 뜨겁게 녹인 후 단단하게 굳혀 만든 것은 초콜릿이라고 합니다.

❹ 카카오와 코코아, 초콜릿에 알맞은 그림을 서로 연결하시오.

내용 적용

(1) 카카오 •

• ㉠

(2) 코코아 •

• ㉡

(3) 초콜릿 •

• ㉢

❺ 발표자는 어떤 방법으로 궁금한 점을 조사하였습니까?

내용 파악

① 초콜릿 회사에 전화를 해 보았다.

② 초콜릿과 관련된 책을 찾아보았다.

③ 어머니께 궁금한 점을 여쭈어 보았다.

④ 인터넷에서 정보를 검색해 보았다.

찻숟갈

박목월

손님이 오시면
차를 낸다
찻잔 옆에
따라 나오는
보얗고 쬐그만 귀연 찻숟갈.

"손님이 오시면
찻숟갈처럼 얌전하게
내 옆에
앉아 있어."
아버지가 말씀하셨다.

"네 아버지"
나는 대답도 찻숟갈처럼
얌전하게 했다
보얗고 쬐그만 귀연 찻숟갈.

❻ 이 시의 중심 소재는 무엇입니까?

핵심어

☐☐☐

❼ 이 시에서 '찻숟갈'의 모습을 반복하여 나타내는 말을 찾아 쓰시오.

내용 파악

☐☐☐ ☐☐☐☐ ☐☐☐ 찻숟갈.

8 아버지가 생각하시는 찻숟갈의 모습은 무엇입니까?

내용 파악

① 얌전하다.

② 커다랗다.

③ 시끄럽다.

④ 무뚝뚝하다.

어휘력 체크체크

밑줄 친 낱말의 알맞은 뜻을 찾아 ✔표 하시오.

1. 사골 국물이 보얗게 잘 우러났다.

① 빛깔이 보기 좋게 하얗게. (   )

② 놀라거나 아파서 살색이 짙게. (   )

2. 그 사람은 얌전해서 일 처리가 꼼꼼하다.

① 말이나 행동이 점잖지 못해서. (   )

② 성품이나 태도가 침착하고 단정해서. (   )

3. 아빠는 찻숟갈로 천천히 커피를 저었다.

① 차를 마실 때에 쓰는 작은 숟가락. (   )

② 음식을 저어 섞는 데 쓰는 도구. (   )

편지글 문제 ①~③

신영아, 네가 달리기에서 꼴찌 했다고 쉬는 시간에 거북이라고 불렀던 것 미안해. 나는 장난으로 이야기한 건데 네가 그렇게 화낼 줄은 몰랐어. 네 마음이 어떨지 생각하지도 않고 내 마음대로 이야기했던 것 진심으로 사과할게. 앞으로는 아무리 장난이라도 함부로 말하지 않을게. 그러니까 그만 화 풀고 예전처럼 사이좋게 지냈으면 좋겠어. 그럼 안녕. 경진이가.

1

글의 목적

이 글을 쓴 목적은 무엇입니까?

경진이가 신영이에게 ☐☐ 하기 위해서 썼습니다.

2

내용 파악

신영이는 언제, 왜 화를 냈습니까?

(1) 언제: ☐☐☐☐ 에

(2) 왜: ☐☐☐ 라고 불러서

3

추론

경진이가 바라는 것은 무엇입니까?

① 신영이의 장난이 멈추는 것

② 신영이가 함부로 말하지 않는 것

③ 신영이와 다시 사이가 좋아지는 것

④ 신영이가 달리기를 잘하게 되는 것

끈적끈적한 거미줄을 쳐서 먹잇감을 잡는 거미는 훌륭한 사냥꾼이다. 거미의 몸속에는 실을 뽑아내는 기관이 있다. 거미는 이 기관에서 나오는 실로 거미줄을 치는데, 맨 마지막에 치는 가로실에 끈끈한 액체가 묻어 있어 먹잇감이 거미줄에 걸리는 것이다. 그래서 거미는 절대로 가로실을 밟지 않는다.

거미는 나무와 나무 사이, 돌 틈, 벽면 등에 다양한 모양의 거미줄을 만든다. 그리고 거미줄의 가운데에서 먹잇감이 걸리기를 기다린다. 먹잇감이 거미줄에 걸리면 거미는 날카로운 이빨로 먹잇감을 찌른 다음, 소화액으로 녹여서 빨아먹는다. 거미는 파리나 모기 등의 해충을 많이 잡아먹어서 우리에게 도움이 되기도 한다.

4

중심 내용

이 글에서 설명하고 있는 것은 무엇입니까?

거미가 　　　　　　　 을 잡는 방법입니다.

5

핵심어

거미가 먹잇감을 잡아 먹는 과정에서 필요한 것을 [보기]에서 모두 골라 ○표 하시오.

> 보기
>
> 거미줄　　　　독　　　　이빨　　　　소화액

6

내용 파악

거미에 대해 잘못 알고 있는 친구는 누구입니까?

① 영미: 거미줄은 거미의 몸속에서 나오는 실이야.

② 은수: 거미는 가로실을 밟고 먹잇감에게 다가가기도 해.

③ 은정: 거미는 돌 틈에도 거미줄을 만들 수 있어.

④ 다래: 거미는 해충을 잡아먹어서 우리에게 도움이 되기도 해.

저는 지각하는 친구들이 교실 청소를 해야 한다는 의견에 반대합니다. 지각하는 친구들만 청소를 하는 것보다는 모두 순서를 정해 돌아가면서 청소를 해야 한다고 생각합니다. [　　　], 지각을 하는 친구의 수는 날마다 다를 수도 있기 때문입니다. 여러 명이 지각을 하는 날에는 여러 명이 나누어 교실을 청소할 것입니다. 그런데 어떤 날은 한 명만 지각을 해서, 한 명이 우리 교실 전체를 청소해야 하는 날도 있을 수 있습니다. 또 어떤 날은 아무도 지각을 하지 않아서, 청소를 누가 할 것인지 정하지 못할 수도 있습니다. 그런 날은 교실이 매우 지저분해질 것입니다.

그래서 저는 교실 청소는 지각을 하는 것과 상관없이 우리 반 친구들이 모두 함께 해야 하는 일이라고 생각합니다. 지각하는 친구들만 청소를 하게 된다면, 다른 친구들은 교실 청소가 내 일이 아니라고 생각할 수도 있습니다. 그러나 교실은 우리 반 친구들이 다 같이 쓰는 공간이고, 우리 모두 책임을 져야 하는 공간입니다. 따라서 저는 지각한 친구들만 교실을 청소하지 말고, 우리 반 친구들이 모두 순서를 정해 함께 청소해야 한다고 생각합니다.

7 글쓴이는 어떤 의견을 가지고 있습니까?

내용 파악

지각하는 친구들만 교실 청소를 하자는 것에 [　][　]하는 의견입니다.

8 [　　　]에 들어갈 알맞은 말은 무엇입니까?

접속어

① 하지만　　② 따라서　　③ 왜냐하면　　④ 그러므로

9

내용 파악

글쓴이가 우리 반 친구들이 다 같이 청소해야 한다고 생각하는 이유는 무엇입니까?

① 교실이 날이 갈수록 더러워지고 있어서

② 몇몇 친구만 청소하는 것은 불공평한 일이라서

③ 다 같이 청소하면 청소를 빨리 끝낼 수 있어서

④ 교실은 우리 반 친구들 모두 책임져야 하는 공간이라서

다음 뜻을 가진 낱말에 ○표 하시오.

1. 정해진 시각보다 늦게 학교에 가는 것.

| 지각 | 결석 |

2. 무슨 일을 하거나 무슨 일이 이루어지는 차례.

| 순서 | 번호 |

3. 정돈이 되어 있지 아니하고 어수선하다.

| 깨끗하다 | 지저분하다 |

안내문   문제 ❶～❸

● "별빛초등학교 2학년 여러분을 별 관측 행사에 초대합니다."

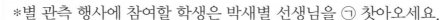

• 시간: 이번 주 금요일 밤 8시

• 장소: 2학년 1반 교실(모두 모이면 선생님과 함께 옥상으로 갈 거예요.)

• 준비물: 과학 공책, 필기구

• 유의 사항: ① 반드시 부모님 중 한 분과 같이 와야 해요.

           ② 날이 추우니 따뜻하게 입고 와야 해요.

*별 관측 행사에 참여할 학생은 박새별 선생님을 ㉠ 찾아오세요.

---

1   **이 글을 쓴 이유는 무엇입니까?**

글의 목적

별 관측 행사에 학생들을 ☐☐ 하기 위해서입니다.

---

2   **밑줄 친 ㉠을 맞춤법에 맞게 고쳐 쓰시오.**

어휘

☐☐☐☐☐.

---

3   **별 관측 행사에 참여할 때, 가장 먼저 가야 할 장소는 어디입니까?**

추론

① 2학년 1반 교실   ② 별빛초등학교 옥상

③ 2학년 2반 교실   ④ 별빛초등학교 운동장

　　우리 언니는 저와 열두 살 차이가 나고 대학생입니다. 고등학생일 때에도 집에 늦게 왔는데, 대학생이 되고 나서 더 바빠진 것 같습니다. 특히 시험 기간에는 학교 도서관에서 늦게까지 공부를 하고 집에 옵니다. 언니가 집에 늦게 들어오는 날에는 제가 좋아하는 젤리를 사올 때도 있는데, 저는 그것보다 언니가 집에 일찍 들어오는 것이 더 좋습니다.

　　언니는 벌써 어른이 되었기 때문인지 마치 엄마 같을 때가 있습니다. 제가 약속한 것을 잘 지키지 않거나 밥을 잘 먹지 않으면 엄마보다 더 크게 혼을 냅니다. 지난주에는 엄마에게 혼이 나서 저녁을 먹지 않겠다고 했다가 언니에게 더 크게 혼났습니다. 하지만 언니에게 혼이 난 뒤에, 다음에는 그러지 않겠다고 하면 언니는 저를 안아 주고 크게 웃어 줍니다. 저를 예뻐해 주고 아껴 주는 언니가 참 좋습니다.

④ 추론

내가 만약 아홉 살이라면 언니는 몇 살입니까?

			살

⑤ 내용 파악

이 글의 내용에 맞으면 ○표, 틀리면 ×표 하시오.

(1) 언니는 지금보다 고등학생 때 더 바빴다. 　　　　　　　　　　(　)

(2) 나는 언니가 젤리를 사오는 것보다 일찍 오는 것이 더 좋다. 　(　)

(3) 언니는 항상 나를 혼낸다. 　　　　　　　　　　　　　　　(　)

⑥ 내용 파악

내가 지난주에 언니에게 혼난 이유는 무엇입니까?

① 언니와 약속한 것을 지키지 않아서

② 언니가 하는 말에 대답을 하지 않아서

③ 가족들에게 말하지 않고 집에 늦게 들어와서

④ 엄마에게 혼나고 저녁을 먹지 않겠다고 해서

　　옛날 어느 마을에 의좋은 형제가 살았어요. 형제는 콩 한 쪽도 나누어 먹으며 서로를 챙겼답니다. 올해도 두 형제는 열심히 농사를 지었고 가을이 되어 벼를 수확했어요. 무럭무럭 자란 벼를 벤 형제는 서로에게 볏단을 가져다주려고 했어요.

　　밤이 되자 동생은 볏단을 한가득 지게에 지고 가서 형의 집 마당에 놓아두었어요. 그 시간 형도 볏단을 지게에 지고 가서 동생네 집 마당에 놓아두었어요.

　　"밤이라 어두워서, 내가 다녀간 줄 모르겠지?"

　　날이 밝아 마당에 나간 형은 깜짝 놀랐어요.

　　"분명히 어젯밤 동생네 집에 볏단을 가져다 놓았는데, 왜 우리 집 마당에 볏단이 있지?"

　　같은 시간, 동생도 깜짝 놀랐어요.

　　형은 오늘 밤에는 볏단을 어제보다 더 많이 동생네 집에 두고 와야겠다고 생각했어요. 그런데 동생도 형과 똑같이 생각했답니다. 그날 밤, 형제는 어제보다 더 많은 볏단을 지고 서로의 집을 향해 걸어갔어요. 그러다가 길 중간에서 마주쳤어요.

　　"아니, 형님! 이 시간에 볏단을 지고 어디 가십니까?"

　　"동생아, 너는?"

　　그제야 형제는 서로의 집에 볏단을 주러 가고 있다는 사실을 깨달았어요.

　　"형님, 이렇게 저를 생각해 주시다니요. 고맙습니다."

　　"동생아, 내가 더 고맙구나."

　　형제는 그날 이후로 더욱 서로를 아끼며 우애 있게 지냈답니다.

7 이 글을 읽고 느낀 점을 가장 알맞게 말한 사람은 누구입니까?

추론

① 세희: 친구와 싸우지 말고 사이좋게 지내야겠구나.

② 미리: 게으름 피우지 말고 부지런히 일해야겠구나.

③ 정수: 누나와 서로 아끼고 사랑하며 지내야겠구나.

④ 정연: 부모님 말씀을 잘 듣는 사람이 되어야겠구나.

8 이 글에서 사건이 일어난 순서대로 번호를 쓰시오.

일의 순서

①  ②  ③

(   ) → (   ) → (   )

밑줄 친 낱말의 알맞은 뜻을 찾아 ✔표 하시오.

1. 아이는 하루가 다르게 **무럭무럭** 자랐다.

① 순조롭고 힘차게 잘 자라는 모양. (   )

② 약간 시들어 힘이 없는 모양. (   )

2. 그 형제는 **우애**가 넘친다.

① 미워하는 일이나 미워하는 마음. (   )

② 형제간 또는 친구 간의 사랑이나 정. (   )

3. 이웃 사람과 **의좋게** 지내다.

① 서로 정이 굳고 깊게. (   )

② 아주 사무치게 미워하며. (   )

중요한 낱말을 다시 한번 확인하고 □에 써 보세요.

| **개학**
(열 開, 배울 學) | 학교에서 방학 등으로 한동안 쉬었다가 다시 수업을 시작함.
예 나는 □□ 이 가까워 오자 밀린 숙제를 하느라 바빴다. |

| **추천**
(밀 推, 천거할 薦) | 좋거나 알맞다고 생각되는 것을 남에게 권함.
예 엄마는 나에게 방학 때 읽을 책을 □□ 해 주셨다. |

| **끈기** | 쉽게 단념하지 아니하고 끈질기게 견디어 나가는 기운.
예 □□ 있는 사람은 반드시 성공한다. |

| **유난히** | 상태가 보통과 아주 다르게.
예 그 아이는 눈이 □□□ 크다. |

| **차이점**
(다를 差,
다를 異, 점 點) | 서로 같지 아니하고 다른 점.
예 그 둘의 □□□ 을 설명해 주세요. |

| **끈적끈적** | 자꾸 척척 들러붙을 만큼 끈끈한 모양.
예 이 스티커는 □□□□ 해서 잘 떼어지지 않는다. |

| **관측**
(볼 觀, 잴 測) | 기상, 천문 등의 자연 현상을 관찰하여 그 움직임을 측정함.
예 오늘은 별의 움직임에 대해 □□ 하겠습니다. |

[01~03] 다음의 뜻에 알맞은 낱말을 [보기]에서 찾아 쓰시오.

┌ 보기 ┐

유난히   끈기   차이점   포기

01   쉽게 단념하지 아니하고 끈질기게 견디어 나가는 기운.   □□

02   서로 같지 아니하고 다른 점.   □□□

03   상태가 보통과 아주 다르게.   □□□

[04~06] 주어진 뜻풀이를 읽고, □ 안에 알맞은 낱말을 넣어 문장을 완성하시오.

04   나는 □□ 이 가까워 오자 밀린 숙제를 하느라 바빴다.

*뜻: 학교에서 방학 등으로 한동안 쉬었다가 다시 수업을 시작함.

05   오늘은 별의 움직임에 대해 □□ 하겠습니다.

*뜻: 기상, 천문 등의 자연 현상을 관찰하여 그 움직임을 측정함.

06   엄마는 나에게 방학 때 읽을 책을 □□ 해 주셨다.

*뜻: 좋거나 알맞다고 생각되는 것을 남에게 권함.

07   주어진 첫 글자와 뜻을 보고, □ 안에 들어갈 낱말을 쓰시오.

ㄲㅈㄲㅈ	*뜻: 자꾸 척척 들러붙을 만큼 끈끈한 모양. 이 스티커는 □□□□ 해서 잘 떼어지지 않는다.

06~10 일차

♣공부한 날: [　]월 [　]일　♣맞은 개수: [　]/9문항

소개문　문제 ❶～❸

　　안녕, 나는 별빛초등학교에서 전학 온 수정이라고 해. 내가 다니던 초등학교는 시골에 있었는데 이곳으로 전학을 오게 되어서 아직 많이 낯설어. 오늘 등교하기 전에는 친구를 사귀지 못할까봐 걱정을 했지만, 너희를 직접 보니 모두 좋은 친구들인 것 같아서 다행이라고 생각해.

　　나는 동물을 좋아해서 강아지를 키워. 이름은 두부라고 해. 털이 하얀색이어서 꼭 두부 같거든. 혹시 강아지를 키우는 친구가 있다면 같이 사진도 보고 강아지 이야기도 나누면 좋겠어. 나를 기억하기 힘들다면 두부를 키우는 수정이라고 기억해 줘. 모두 친하게 지내자.

1

글의 종류

이 글은 어떤 글입니까?

전학을 온 수정이가 자신을 [　][　]하는 글입니다.

2

중심 내용

이 글에서 수정이의 마음은 어떻게 달라졌습니까?

등교 전에는 걱정을 함. → 친구들을 본 후에는 [　][　]이라고 생각함.

3

내용 파악

수정이가 키우는 강아지의 이름이 '두부'인 이유는 무엇입니까?

① 강아지가 두부를 좋아하기 때문에

② 수정이네 가족이 두부를 좋아하기 때문에

③ 두부처럼 부드러운 털을 가지고 있기 때문에

④ 털이 하얀색이라는 점이 두부와 닮았기 때문에

ㄥ○○○년 ○월 ○일, 날씨 비

오늘 저녁에는 할머니께서 떡볶이 하시는 것을 도와 드렸다. 며칠 전부터 내가 할머니께 떡볶이가 먹고 싶다고 말해서 오늘 할머니께서 만들어 주시기로 한 것이다.

할머니께서는 먼저 냄비에 물을 조금 ［　㉠　］ 떡과 어묵을 넣어 끓이셨다. 그리고 파와 마늘도 썰어서 냄비에 넣으셨다. 내가 한 일은 양념장을 만드는 것이었다. 나는 할머니께서 말씀하시는 대로 고추장 두 숟갈, 고춧가루 두 숟갈, 간장 한 숟갈, 설탕 한 숟갈을 그릇에 넣고 잘 섞었다. 마지막으로 카레가루를 조금 넣었다. 할머니께서는 내가 만든 양념장을 냄비에 넣어 떡볶이를 완성하셨다. 정말 맛있는 떡볶이가 만들어졌다.

❹
어휘

㉠에 들어갈 말로, '액체나 가루 따위를 다른 곳에 담고'라는 뜻을 가진 낱말을 바르게 쓴 것에 동그라미 하시오.

붓고　　　　　　　　　　　　　　　　붇고

❺
일의 순서

떡볶이를 만드는 순서대로 괄호 안에 숫자를 쓰시오.

㉮ 냄비에 물을 붓고 떡과 어묵을 끓인다.　　　　　　（　　）
㉯ 잘 섞은 양념장을 냄비에 넣는다.　　　　　　　　　（　　）
㉰ 파와 마늘을 썰어 냄비에 넣는다.　　　　　　　　　（　　）

❻
내용 파악

'나'는 할머니를 어떻게 도와 드렸습니까?

① 양념장을 만들어 드렸다.
② 재료를 깨끗하게 씻어 드렸다.
③ 파와 마늘을 칼로 썰어 드렸다.
④ 사용한 냄비를 설거지해 드렸다.

　　'스무고개'는 친구들과 재미있게 할 수 있는 놀이입니다. 먼저 한 사람이 다른 사람에게는 말하지 않고 마음속으로 어떤 물건을 생각합니다. 그러면 다른 사람은 최대한 스무 번까지 질문을 해서, 그 물건이 무엇인지를 알아맞히는 놀이입니다. 총 스무 번 질문을 할 수 있기 때문에 질문하는 사람이 여러 명이어도 이 놀이를 할 수 있습니다.

　　이 놀이를 할 때에는 두 가지 규칙을 반드시 지켜야 합니다. 첫째, 질문을 할 때에는 대답하는 사람이 '예' 또는 '아니오'로만 대답할 수 있도록 해야 합니다. 예를 들어 '그것은 식물이니?'와 같이 질문을 할 수는 있지만, '그것은 무슨 색깔이니?'처럼 질문을 하면 안 됩니다.

　　둘째, 문제를 내는 사람은 정답을 놀이 중간에 마음대로 바꾸면 안 됩니다. 이런 상황을 막기 위해서는 '스무고개'를 시작하기 전에 문제를 내는 사람이 마음속에 생각한 정답을 미리 종이에 적어 놓는 방법이 있습니다. 이렇게 하면 문제를 내는 사람이 놀이를 하다가 중간에 정답을 바꿀 수 없습니다.

⑦ 이 글에서 설명하고 있는 것은 무엇입니까?

핵심어

　　| | | | | 놀이

⑧ '스무고개'는 어떻게 하는 놀이입니까?

중심 내용

　　| | | 번 질문을 해서 물건이 무엇인지를 알아맞히는 놀이입니다.

9

내용 파악

'스무고개' 놀이를 할 때 지켜야 하는 두 가지 규칙은 무엇입니까?

① 질문하는 사람은 한 명이어야 합니다.

② 정답을 놀이 중간에 바꾸면 안 됩니다.

③ 스무 번 질문을 하기 전에 정답을 맞히면 안 됩니다.

④ '예' 또는 '아니오'로만 대답할 수 있는 질문을 해야 합니다.

 어휘력 체크체크

다음 뜻을 보고 어떤 낱말인지 [보기]에서 찾아 쓰시오.

> 보기
>
> 반듯이   반드시   총   몇   최대   최소

1. 뜻: 모두 합하여 몇임을 나타내는 말.

예 이번 행사에는 ☐☐ 백여 명의 학부모님들이 참석하셨다.

2. 뜻: 수나 양, 정도 따위가 가장 큼.

예 영수는 핸드폰 소리를 ☐☐로 크게 하였다.

3. 뜻: 틀림없이 꼭.

예 ☐☐☐ 시간에 맞추어 오너라.

소개문   문제 ❶~❸

제가 사는 동네는 대원동입니다. 저는 (ㄱ)이곳에서 태어나서 지금까지 살았기 때문에 우리 동네에 대해서 아주 잘 압니다. 먼저 우리 동네의 특징은 큰 시장이 있어서 사람들이 북적북적한다는 것입니다. 우리 집에서 길을 건너면 '대원시장'이라는 큰 시장이 있는데 (ㄴ)이곳에는 특히 먹을 것이 많습니다. 그래서 동네 사람들뿐만 아니라 멀리에서도 사람들이 시장 구경을 많이 옵니다.

또 우리 동네에는 공원이 있습니다. 시내의 큰 공원에 비하면 크기는 작지만, 나무가 많아서 항상 푸른빛입니다. 특히 더운 여름에 오면 그늘이 많아서 쉬기에 좋습니다. 저는 친구들과 약속을 할 때 주로 (ㄷ)이곳에서 만납니다. 찾아오기 쉽고, 놀 곳도 많기 때문입니다. 저는 큰 시장도 있고 시원한 공원도 있는 우리 동네가 참 좋습니다.

1

핵심어

이 글에서 소개하고 있는 것은 무엇입니까?

☐ ☐ ☐ ☐

2

문법 지식

(ㄱ), (ㄴ), (ㄷ)이 가리키는 것은 각각 무엇입니까?

(ㄱ): ☐ ☐ ☐   (ㄴ): 큰 ☐ ☐   (ㄷ): ☐ ☐

3

내용 파악

우리 동네 시장의 특징은 무엇입니까?

① 높은 건물들이 많다.

② 나무가 많아서 항상 푸른빛이다.

③ 먹을 것이 많아서 사람들이 구경을 온다.

④ 찾아오기 쉽고 놀 곳이 많은 곳이다.

사람이 살아가는 데 필요한 돈을 벌기 위해 일정한 기간 동안 계속하여 하는 일을 '직업'이라고 한다. 사람들이 직업을 갖는 가장 큰 이유는 돈을 벌기 위해서이다. 농부는 농사라는 일을 하면서 돈을 벌고, 택시 기사는 택시를 운전하는 일을 하면서 돈을 번다. 사람들은 이렇게 돈을 벌어 필요한 물건도 사고, 공부도 하고, 병원에도 가고, 맛있는 음식도 사서 먹는다.

하지만 사람들이 직업을 갖는 이유가 오직 돈을 벌기 위해서만은 아니다. 직업을 통해 돈을 벌기도 하지만, 직업은 우리에게 행복과 보람을 줄 수 있다는 점에서도 중요하다. 사람들은 일을 하면서 즐거움을 느끼고 자신의 능력을 다른 사람들에게 보여 주기도 한다. 그러므로 직업을 선택할 때에는 자신의 성격이나 능력을 잘 생각해야 한다.

❹ 핵심어

이 글에서 가장 중요한 낱말은 무엇입니까?

| 직업 | 돈 | 택시 | 행복 |

❺ 내용 파악

이 글의 내용에 맞으면 ○표, 틀리면 ×표 하시오.

(1) 사람들은 돈을 벌어서 필요한 물건을 산다.　　　　　　　　(　　)

(2) 직업을 갖는 이유는 오직 돈을 벌기 위해서이다.　　　　　　(　　)

❻ 추론

다음 중에서 직업을 가지고 있는 사람은 누구입니까?

① 소설 쓰기 숙제를 하고 있는 영민이 형

② 버스 운전을 3년 동안 계속해서 하고 있는 삼촌

③ 아버지를 도와 하루 동안만 농사일을 하는 유미 누나

④ 모르는 낱말을 물어보는 동생에게 친절히 설명하시는 어머니

잠자리와 나와

임미성

잠자리 한 마리
나 읽는 책 위에 앉았다

나보다 훨씬 느리게
내 두 눈보다 더 자세하게
천 개의 눈으로 글자를 쓰다듬어
날개로 전송하며 읽고 있다

잠자리는 책을 읽고
나는 잠자리를 읽고

잠자리와 나와
얇고 긴 책장을 넘겨 보던
그런 날이 있었다.

---

❼ 이 시는 몇 연으로 나누어져 있습니까?

시의 형식

[ ] 연

---

❽ 잠자리는 어떤 태도로 글자를 쓰다듬고 있습니까?

내용 파악

① 느리고 자세하게
② 급한 마음으로 빨리
③ 재미있어서 크게 웃으면서
④ 이상하다는 듯이 고개를 갸우뚱하며

9

내용 적용

이 시의 '나와 잠자리'의 모습을 가장 잘 나타낸 그림은 무엇입니까?

①  ②  ③

다음 뜻을 가진 낱말에 ○표 하시오.

1. 전하여 보냄.

| 전송 | 이별 |

2. 사소한 부분까지 아주 꼼꼼하다.

| 친절하다 | 자세하다 |

3. 책을 이루고 있는 낱낱의 장.

| 책장 | 책꽂이 |

소개문 문제 ❶~❸

예지는 눈이 정말 예쁩니다. 예지의 눈은 쌍꺼풀이 있으면서 크기도 합니다. 쌍꺼풀이 없는 저는 예지의 눈을 부러워하지만, 예지는 제 눈도 예쁘다고 합니다. 또 예지의 눈은 초롱초롱하게 생겼습니다. 예전에 시골에서 소를 본 적이 있는데, 예지의 눈을 보면 그때 본 소의 눈이 생각납니다. 둘 다 눈빛이 초롱초롱하기 때문입니다.

예지는 마음씨도 아름답습니다. 어제는 같이 복도를 지나가는데 창틀에 쓰레기가 끼어 있었습니다. 예지는 손이 더러워짐에도 불구하고 그 쓰레기를 주웠습니다. 제가 예지에게 "네가 버린 거야?"라고 물었더니, 예지는 "내가 버린 건 아니지만 그냥 주웠어."라고 했습니다. 제 친구 예지는 참 착한 친구입니다.

1 글의 종류

이 글은 어떤 글입니까?

친구 예지를 ☐☐ 하는 글입니다.

2 내용 파악

내가 예지의 눈을 보고 떠올린 것과, 그 이유를 쓰시오.

(1) 예지의 눈을 보고 떠올린 것: ☐☐☐

(2) 이유: 둘 다 눈빛이 ☐☐☐☐ 하기 때문입니다.

3 추론

나는 예지가 어떤 친구라고 생각합니까?

① 눈도 매력적이고 공부도 잘하는 친구
② 눈과 마음씨가 모두 다 아름다운 친구
③ 공부를 잘하면서도 마음씨가 아름다운 친구
④ 눈은 예쁘지만 마음씨는 예쁘지 않은 친구

　　요즘 우리 동네에서 전동 킥보드를 타는 사람들이 많습니다. 그런데 전동 킥보드는 속도가 빠르기 때문에 사고의 위험이 큽니다. 때로는 킥보드를 잘 조절하지 못해서 나무나 시설물에 부딪히는 사고도 일어납니다. 제 동생은 어제 놀이터 앞을 지나가다가 뒤에서 오는 전동 킥보드를 탄 사람과 부딪혀 넘어졌습니다. 다행히 크게 다치지는 않았지만 큰일이 날 뻔했습니다.

　　따라서 저는 동네 주민 여러분께 동네에서는 전동 킥보드 타기를 금지할 것을 건의합니다. 사람들이 많이 다니는 곳에서 빠른 속도로 전동 킥보드를 　　　　　 타는 것은 매우 위험합니다. 어제 제 동생이 넘어졌듯이 또 다른 사람이 다칠 수도 있습니다. 모두들 제 의견에 대해 고민해 주셨으면 좋겠습니다.

❹ 글쓴이는 누구를 대상으로 이 글을 썼습니까?
내용 파악

❺ 글쓴이는 전동 킥보드 때문에 어떤 일을 겪었습니까?
내용 파악

이 전동 킥보드에 부딪혀 넘어졌습니다.

❻ 　　　　　에 들어갈 말로 알맞은 것은 무엇입니까?
어휘

① 쌩쌩　　　　　② 졸졸　　　　　③ 쿨쿨　　　　　④ 쿵쿵

❼ 다음에서 글쓴이의 의견과 같은 사람은 누구입니까?
중심 내용

① 연희: 전동 킥보드는 속도가 빨라서 위험해.

② 민지: 전동 킥보드는 가격이 매우 비쌀 것 같아.

③ 형우: 전동 킥보드를 탈 때에는 보호 장비를 해야 해.

④ 선유: 동네에서 전동 킥보드를 타는 것은 괜찮다고 생각해.

안녕하세요. 저는 우리나라의 사계절에 대해 발표할 윤수진입니다. 우리나라는 일반적으로 봄, 여름, 가을, 겨울의 사계절이 있습니다. 어떤 나라는 1년 내내 더운 곳도 있고, 또 어떤 나라는 1년 내내 매우 추운 곳도 있습니다. 그런데 우리나라는 사계절이 있어서 다양한 계절의 변화를 느낄 수 있습니다.

봄은 보통 3월부터 5월까지를 말합니다. 따뜻한 봄에는 나뭇잎이 새로 돋아나고 예쁜 꽃이 핍니다. 많은 지역에서는 이 기간 동안에 꽃 축제를 열기도 합니다. 여름은 6월부터 8월까지인데, 날씨가 매우 덥습니다. 사람들은 이때 짧은 옷을 입고 시원한 음료를 마시면서 더위를 이겨냅니다. 여름에는 비가 많이 오는 장마 기간도 있습니다. 이 기간에는 좀 덜 덥지만, 습기가 많아서 축축한 기분이 듭니다.

가을은 대체로 9월부터 11월까지입니다. 이 계절에는 나뭇잎이 갈색이나 노란색으로 물들며 나무에서 떨어집니다. 사람들도 서늘한 날씨에 약간 두꺼운 옷을 입기 시작합니다. 겨울은 12월부터 2월까지입니다. 겨울에는 눈이 내리고 얼음이 자주 얼기도 합니다. 사람들은 추위를 피하기 위해 가장 두꺼운 옷을 입고 목도리를 하며 추운 겨울을 지냅니다.

---

⑧ 이 글에서 글쓴이가 발표하고 있는 것은 무엇입니까?

중심 내용

우리나라의 ☐☐☐

---

⑨ 여름에 가장 필요한 물건은 어느 것입니까?

추론

① 　② 　③ 　④

10 다음 중, 겨울에 쓴 일기는 어느 것입니까?

내용 적용

①
○월 ○일 월요일, 날씨 맑음
작년에 입었던 약간 두꺼운 옷을 꺼내 입었다. 날이 하루가 다르게 서늘해지고 있다.

②
○월 ○일 수요일, 날씨 흐림
장마 기간에 접어든 지 일주일이 지났다. 오늘도 학교에 우산을 가지고 갔다.

③
○월 ○일 금요일, 날씨 맑음
오늘은 가족과 함께 장미 축제에 다녀왔다. 예상한 대로 날씨가 아주 화창했다.

④
○월 ○일 일요일, 날씨 눈
아침에 엄마가 두꺼운 목도리를 둘러주셨다. 길이 얼어 조심해서 학교에 갔다.

어휘력 체크체크

다음 뜻을 보고 어떤 낱말인지 [보기]에서 찾아 쓰시오.

보기

음료　　　축축한　　　장마　　　따뜻한

1. 뜻: 여름철에 여러 날을 계속해서 비가 내리는 날씨.

예 태풍이 □□를 몰고 왔다.

2. 뜻: 물기가 있어 젖은 듯한.

예 조금 전에 비를 맞아서 머리가 □□□ 상태이다.

3. 뜻: 사람이 마실 수 있도록 만든 액체.

예 누나가 가게에서 과자와 □□를 샀다.

일기 문제 ①~③

ㄥㅇㅇㅇ년 ○월 ○일, 날씨 맑음

저녁을 먹고 엄마, 루키와 함께 산책을 갔다. 루키는 산책 가는 것을 무척 좋아한다. 루키는 내가 목줄을 꺼내면 곧 산책을 갈 것이라는 걸 안다. 그리고 내가 목줄을 들고 다가가면 너무 좋아서 짖는다.

루키의 목줄은 엄마가 잡고 산책을 했다. 나는 루키가 똥을 싸면 치울 비닐봉지와 집게를 들었다. 루키는 밖으로 나가니 너무 좋은지 잠시도 가만히 있지 않았다. 나도 엄마와 루키와 산책을 나가니 기분이 참 좋았다. 집으로 돌아오는 길에 루키가 풀 위에 똥을 싸서 내가 빨리 치웠다. 엄마는 루키가 똥을 싸면 우리가 꼭 치워야 하는 거라고 말씀하시면서 나를 칭찬해 주셨다. 기분 좋은 저녁이었다.

1 중심 내용

나는 어떤 일을 일기로 썼습니까?

엄마와 루키와 함께 을 한 일입니다.

2 내용 적용

루키와 산책을 나갈 때 필요하지 <u>않은</u> 것은 무엇입니까?

① 　② 　③ 　④

3 내용 파악

나는 엄마에게 왜 칭찬을 받았습니까?

① 루키의 똥을 잘 치웠기 때문에

② 루키를 산책시켰기 때문에

③ 루키의 목욕을 시켰기 때문에

④ 루키의 간식을 잘 주었기 때문에

누구나 돈을 쉽게 만들 수 있다면 어떻게 될까? 만약 그럴 수 있다면 사람들은 모두 돈을 많이 만들어 부자가 되려고 할 것이다. 이처럼 아무나 돈을 만든다면 사회는 굉장히 혼란스러워질 것이기 때문에, 우리나라의 돈은 한국은행에서만 발행한다. 한국은행에서는 돈을 언제, 얼마나 만들 것인지 계획을 세우고 계획에 따라 돈을 만들어 낸다. 그래서 갑자기 돈이 많이 만들어지는 일은 발생하지 않는다.

하지만 돈은 사람들이 모두 원하는 것이기 때문에, 한국은행이 아닌 곳에서 가짜로 만들어질 위험이 있다. 그래서 한국은행에서는 위조를 막기 위한 여러 가지 방법을 사용하고 있다. 먼저, 지폐에 고유의 번호를 매겨 놓았다. 그리고 지폐를 빛에 비추면 숨겨진 그림이 나타나도록 하였다. 또 금액이 적혀 있는 숫자 부분은 보는 각도에 따라 색깔이 변하도록 만들었다. 이처럼 한국은행에서는 돈의 위조를 막기 위해 많은 노력을 하고 있다.

❹ 이 글에서 설명하고 있는 내용은 무엇입니까?

중심 내용

돈의 ☐☐ 를 막는 방법

❺ 우리나라에서 돈을 만드는 곳은 어디입니까?

내용 파악

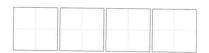

❻ 진짜 돈과 가짜 돈을 구별하기 위한 행동이 <u>아닌</u> 것은 무엇입니까?

추론

① 지폐를 만져 두께를 확인해 본다.

② 지폐에 매겨 놓은 고유 번호를 확인한다.

③ 지폐를 빛에 비추어 숨겨진 그림이 나타나는지 본다.

④ 각도를 다르게 하여 지폐의 숫자 부분의 색깔이 변하는지 본다.

옛날에 아들 청개구리와 엄마 청개구리가 살았습니다. 그런데 아들은 엄마의 말을 잘 듣지 않고, 항상 반대로만 행동했습니다. 그래서 엄마는 아들 때문에 속이 많이 상했습니다.

"아들아. 제발 엄마의 말을 잘 들을 수 없니?"

엄마는 아들에게 여러 번 혼을 냈지만, 아들은 계속 엄마의 말을 잘 듣지 않고, 반대로 행동했습니다.

그러던 어느 날, 엄마는 몸이 많이 안 좋아진 것을 느꼈습니다. 날이 갈수록 병이 깊어지자, 곧 자신이 죽을 것이라고 생각했습니다. 엄마는 죽기 전에 아들에게 말했습니다.

"아들아, 엄마가 죽으면 물이 많은 개울가에 엄마를 묻어라. 절대 산속에 묻으면 안 된다."

사실 엄마는 죽으면 산속에 묻히고 싶었지만, 아들은 자신이 시킨 반대로 할 것이라고 생각해서 그렇게 말한 것이었습니다.

엄마가 돌아가시자 아들은 너무 슬펐습니다. 그리고 지난날을 후회했습니다. 아들은 이번만은 ㉠그런 행동을 하지 않겠다고 생각했습니다. 그래서 엄마가 말씀하신 대로 엄마를 개울가에 묻었습니다.

그런데 비가 내리자, 개울가에 있는 엄마의 무덤이 위험해 보였습니다. 비에 쓸려 내려갈 것 같았던 것입니다. 그래서 아들은 걱정이 되어, 비가 오기만 하면 '개굴개굴' 큰 소리로 운답니다.

❼ 엄마가 묻어 달라고 한 곳과, 실제 묻히고 싶었던 곳은 각각 어디입니까?

내용 파악

(1) 엄마가 묻어 달라고 한 곳: □□□

(2) 실제 묻히고 싶었던 곳: □□

8

문법 지식

밑줄 친 ㉠이 뜻하는 것은 무엇입니까?

엄마의 말을 잘 듣지 않고 ⬚⬚로 한 행동.

 **9**

내용 적용

이 글을 추천해 주고 싶은 친구는 누구입니까?

① 나리: 나보다 시험 성적을 잘 받은 민지에게 질투가 나.

② 민규: 우리 선생님은 숙제를 너무 많이 내주셔서 피곤해.

③ 소윤: 아빠는 잔소리가 너무 심해서 아빠 말은 듣기가 싫어.

④ 정현: 누나가 자꾸 내 물건을 말도 없이 가져가서 싸우게 돼.

어휘력 체크체크

밑줄 친 낱말의 알맞은 뜻을 찾아 ✔표 하시오.

1. 이제 와서 후회를 해 보아야 이미 늦었다.

① 이전의 잘못을 깨치고 뉘우침. (　　)

② 잘못을 벌하지 않고 덮어 줌. (　　)

2. 폭풍으로 배가 위험에 빠졌다.

① 평온하고 화목함. (　　)

② 일이 잘못될 가능성이 있거나 안전하지 못함. (　　)

일기   문제 ❶~❸

ㄴ○○○년 ○월 ○일, 날씨 맑음

아침에 일어나서 거실로 나갔더니 부모님께서 어디에 갈지 의논하고 계셨다. 나는 어제 선생님께서 말씀하신 어린이 과학관이 생각났다. 선생님께서는 어린이 과학관이 지난주에 개관했다고 하시면서 재미있는 것이 많으니 꼭 가보라고 하셨다. 부모님께 말씀드렸더니 그렇게 하자고 하셨다.

우리 가족은 점심을 먹은 후 어린이 과학관으로 갔다. 선생님 말씀처럼 재미있는 것이 많았는데, 특히 탱탱볼을 만드는 체험이 재미있었다. 고등학생 형들이 탱탱볼 만들기를 도와주어서 나는 색깔별로 탱탱볼을 세 개나 만들 수 있었다. 또 재미있었던 것은 우연히 지애네 가족을 만난 것이었다. 지애도 선생님 말씀을 듣고 과학관에 왔다고 했다. 다음에 또 가서 즐겁게 놀아야겠다.

1 추론

이 글은 언제 있었던 일을 쓴 것입니까?

오늘 ☐☐에 있었던 일입니다.

2 내용 적용

어린이 과학관에서 있었던 일은 무엇입니까?

①    ②    ③

3 내용 파악

우리 가족이 어린이 과학관에 간 이유는 무엇입니까?

① 선생님께서 꼭 가보라고 하셨기 때문에

② 과학 숙제를 하는 데 도움이 되었기 때문에

③ 원래 가려던 곳에 갈 수 없게 되었기 때문에

④ 지애와 과학관에서 만나기로 약속했기 때문에

우리는 일회용품을 정말 많이 사용합니다. 가끔 공원에 가면 놀러 나온 사람들 대부분이 일회용 접시와 젓가락을 사용하는 것을 볼 수 있습니다. 또 카페에서 음료를 마실 때에도 일회용 컵에 마시는 경우가 많습니다. 일회용품은 한 번 사용하면 버리기 때문에 쓰레기를 엄청 많이 만듭니다. 일회용품 쓰레기는 잘 썩지 않기 때문에 오래 남아 환경을 오염시킵니다.

그러므로 우리는 일회용품 사용을 줄여야 합니다. 조금만 생각하면 일회용품 사용을 줄일 수 있는 방법은 많습니다. 공원에 놀러갈 때는 집에서 사용하던 접시와 수저를 직접 챙겨 가고, 카페에서 음료를 마실 때에도 개인용 컵이나 물통을 가져가면 됩니다. 조금 귀찮을 수는 있지만 우리의 이런 습관이 환경을 살릴 수 있습니다. 우리 모두 일회용품 사용 줄이기 운동을 함께 합시다.

❹
글의 주제

이 글에서 글쓴이가 주장하는 것은 무엇입니까?

☐☐☐☐ 사용을 줄이자.

❺
내용 파악

일회용품 사용을 줄이기 위해 글쓴이가 제안한 방법은 무엇입니까?

(1) 공원에 놀러갈 때: 접시와 ☐☐ 를 챙겨서 간다.

(2) 카페에 갈 때: 개인용 ☐ 이나 물통을 가져간다.

❻
중심 내용

일회용품의 특징 두 가지는 무엇입니까?

① 한 번 사용하면 버리게 된다.
② 다른 물건으로 대체할 수 없다.
③ 사용하는 것이 번거롭고 귀찮다.
④ 잘 썩지 않아서 오래 남아 있다.

민영: 엄마, 방학 때 이모와 효은이가 온대요?

엄마: 그래, 미국에 사는 이모가 딸 효은이와 함께 한국에 온다는구나.

민영: 정말 좋아요. 효은이는 재작년에 미국으로 이민 간 후에 한 번도 우리나라에 오지 않았잖아요?

엄마: 아니야. 작년에 한 번 오기는 했어. 그런데 그 때는 바쁜 일이 있어서 우리를 만나지도 못하고 급하게 돌아갔단다.

민영: 작년에도 만났으면 좋았을 텐데. 아무튼 이번에는 만날 수 있는 거죠?

엄마: 그럼. 이번에는 같이 여행도 가고, 우리 집에서 하룻밤 자기로 했어. 효은이가 오면 어디로 놀러 가면 좋을까?

민영: 놀이동산에 가면 어떨까요? 효은이가 정말 좋아할 거예요.

엄마: 네가 가고 싶은 것 아니고?

민영: 저도 가고 싶지만…… 효은이도 좋아할 걸요. 제 친구들은 모두 놀이동산 가는 걸 좋아해요.

엄마: 하지만 효은이는 놀이동산에 가기에는 아직 어리지 않을까?

민영: 네! 아니면 공원에 놀러가는 것도 좋을 것 같아요. 공원에 가면 예쁜 사진을 많이 찍을 수 있잖아요.

엄마: 그것도 좋은 생각이네.

민영: 효은이에게 뭐가 더 좋은지 물어봐야겠어요. 신난다. 빨리 방학이 되어서 효은이랑 이모를 만났으면 좋겠어요. 엄마도 기대되죠?

엄마: 그래. 엄마도 이모와 할 얘기가 많거든.

7 효은이는 나와 어떤 관계입니까?

추론

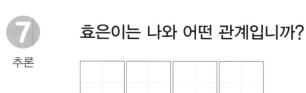

8 효은이는 몇 년 전에, 어느 나라로 이민을 갔습니까?

내용 적용

☐☐ 년 전에, ☐☐☐ 으로 이민을 갔습니다.

9 민영이가 엄마와의 대화를 통해 새롭게 알게 된 사실은 무엇입니까?

내용 파악

① 효은이는 민영이보다 나이가 어리다.

② 효은이는 놀이동산에 가는 것을 좋아한다.

③ 이모와 효은이가 방학 때 처음 한국에 온다.

④ 효은이는 작년에 한국에 왔다 간 적이 있다.

어휘력 체크체크

다음 뜻을 가진 낱말에 ○표 하시오.

1. 자기 나라를 떠나 다른 나라로 옮겨 머무르는 일.

| 이민 | 여행 |

2. 지난해.

| 올해 | 작년 |

3. 어떤 일이 원하는 대로 이루어지기를 바라면서 기다림.

| 성공 | 기대 |

중요한 낱말을 다시 한번 확인하고 □에 써 보세요.

규칙 (법 規, 법칙 則)	여러 사람이 다 같이 지키기로 정한 법칙. 예 우리 모두는 정해진 ☐☐에 따라야 해.

북적북적	많은 사람이 한곳에 모여 매우 수선스럽게 잇따라 들끓음. 예 공연장은 많은 관객들로 ☐☐☐☐하였다.

보람	어떤 일을 한 뒤에 얻어지는 좋은 결과나 만족감. 예 이번에 성적이 올라 열심히 공부한 ☐☐이 있었다.

초롱초롱	눈이 정기가 있고 맑은 모양. 예 그 아이는 눈이 ☐☐☐☐한 것이 아주 똑똑해 보여.

발행 (쓸 發, 갈 行)	화폐, 증명서 따위를 만들어 세상에 내놓아 널리 쓰도록 함. 예 이 문서는 한국에서 ☐☐된 것이다.

위조 (거짓 僞, 지을 造)	어떤 물건을 속일 목적으로 꾸며 진짜처럼 만듦. 예 경찰은 지폐를 ☐☐한 범인들을 모두 찾아냈다.

개관 (열 開, 객사 館)	도서관, 영화관, 박물관 따위의 기관이 설비를 차려 놓고 처음으로 문을 엶. 예 오늘 저녁에는 도서관 ☐☐ 기념 행사가 있다.

[01~03] 다음의 뜻에 알맞은 낱말을 [보기]에서 찾아 쓰시오.

┌─ 보기 ┤
│
│   보람   발행   개관
└

01 화폐, 증명서 따위를 만들어 세상에 내놓아 널리 쓰도록 함.

02 도서관, 박물관 따위의 기관이 설비를 차려 놓고 처음으로 문을 엶.

03 어떤 일을 한 뒤에 얻어지는 좋은 결과나 만족감.

[04~06] 주어진 뜻풀이를 읽고, □ 안에 알맞은 낱말을 넣어 문장을 완성하시오.

04 우리 모두는 정해진 □□ 에 따라야 해.

＊뜻: 여러 사람이 다 같이 지키기로 정한 법칙.

05 돈을 □□ 하면 큰 벌을 받게 된다.

＊뜻: 어떤 물건을 속일 목적으로 꾸며 진짜처럼 만듦.

06 시장에는 쇼핑을 나온 사람들로 □□□□ 아주 복잡했다.

＊뜻: 많은 사람이 한곳에 모여 매우 수선스럽게 잇따라 들끓음.

07 주어진 문장을 읽고, □ 안에 공통으로 들어갈 낱말을 쓰시오.

┌─────────┬──────────────────────────────┐
│ ㅊ ㄹ ㅊ ㄹ │ ① 아이의 눈은 □□□□ 반짝였다.   │
│   │ ② 우리 강아지의 눈이 □□□□ 빛났다. │
└─────────┴──────────────────────────────┘

11~15 일차

편지글   문제 ❶~❸

이순신 장군님께

안녕하세요. 저는 별빛초등학교 ㄹ학년 박재현이에요. 지난 주말에 가족들과 통영에 갔다가 왜구를 크게 무찌른 장군님의 이야기를 듣고, 집에 와서 위인전을 읽었어요. 장군님께서는 왜구가 쳐들어왔을 때 무섭지 않으셨어요? 왜구는 무기도 많이 가지고 있어서 정말 무서웠을 것 같아요. 그런데도 장군님께서는 용기 있게 싸우시고, 뛰어난 거북선도 만들어 내신 것을 보고 저는 감동받았어요.

특히 배가 1ㄹ척 밖에 남지 않았을 때에도, 포기하지 않고 왜구에 맞서 싸우신 것이 참 대단하다고 생각해요. 저는 그것이 장군님의 포기하지 않는 마음 때문이라고 생각해요. 힘든 상황에서도 우리나라를 지켜주셔서 감사합니다. 저도 장군님처럼 포기하지 않고 용기 있게 살아가는 재현이가 될게요.

장군님을 존경하는 박재현 ☐☐

1 글의 종류
이와 같은 글에서, ☐ 에 들어갈 알맞은 말은 무엇입니까?

☐☐

2 중심 내용
이순신 장군님의 업적은 무엇입니까?

☐☐☐ 을 만들고, ☐☐ 와의 싸움에서 이긴 것입니다.

3 추론
글쓴이는 이순신 장군님의 어떤 점을 본받겠다고 했는지 모두 고르시오.

① 용기 있는 마음   ② 거짓이 없는 마음

③ 포기하지 않는 마음   ④ 다른 사람을 생각하는 마음

아이들이 즐겨 먹던 A과일 음료, 세균 범벅

아이들이 즐겨 먹던 A과일 음료가 세균 범벅의 불량 식품인 것으로 드러났다. 식품의약품안전처(식약처)는 어린이들이 즐겨 먹는 음료를 대상으로 검사한 결과를 25일 공개했다. 검사 결과 A과일 음료에서는 기준치보다 훨씬 많은 세균이 확인되었다. 식약처에서는 "음료를 보관하고 나누는 작업 과정에서 음료가 오염된 것 같다."고 말했다.

식약처는 A과일 음료를 시장에서 거두어 들였다고 밝혔다. 또한 과자와 우유 등 다른 식품들에 대한 추가 검사를 하겠다고 하였다. 식약처는 앞으로도 식품에 대한 검사를 계속할 것이라고 했다. 그리고 비슷한 사례를 발견하면 불량 식품 신고 전화(☎1399)나 상담 전화(☎110)로 신고해 달라고 하였다.　　　　　　－ 김○○ 기자

4

글의 종류

이 글의 종류는 무엇입니까?

사람들에게 새로운 소식을 전하는 신문 ☐☐ 입니다.

5

내용 적용

이 글에서 세균이 발견된 식품은 무엇입니까?

① 　　② 　　③ 　　④

6

추론

불량 식품을 판매하는 것을 보면 어떻게 해야 합니까?

① 세균이 없는지 직접 검사한다.

② 제품을 구입하여 쓰레기통에 버린다.

③ 먹어 보고 이상이 있는지 확인한다.

④ 1399번으로 전화를 걸어 신고한다.

도깨비 뿔을 단 감자

한상순

하마터면 큰일 날 뻔했어

할머니가 보내 준 감자

비닐봉지에 몇 알 남겨

베란다 구석에 내버려 둔 거야

며칠 뒤 열어 보니

옴폭한 눈마다

도깨비 뿔을 달고 있지 뭐야

푸릇푸릇 화가 난 도깨비 뿔

조금만 더 두었음

모두 걸어 나와 아우성쳤을 거야

거실로 안방으로

겁쟁이 우리 언니 공부방으로

쿵쾅쿵쾅 걸어 다녔을 거야

－ 이렇게 구석에 처박아 놓을 테면

　시골 할머니 댁에 다시 보내 줘!

푸른 뿔 번득이며

소리소리 쳤을 거야.

---

⑦ 감자는 그동안 어디에 담겨 있었습니까?

내용 파악

☐☐☐☐ ☐☐☐☐ ☐☐☐☐ ☐☐☐☐

8 어휘

푸릇푸릇 , 쿵쾅쿵쾅 의 낱말들이 표현하는 것을 서로 연결해 보시오.

(1) 푸릇푸릇 •

(2) 쿵쾅쿵쾅 •

• ㉠ 도깨비 뿔의 색

• ㉡ 화가 난 감자가 내는 소리

9 추론

이 시에서 감자가 가장 바라는 것은 무엇입니까?

① 도깨비 뿔을 시원하게 잘라 주는 것

② 자신을 구석에 처박아 놓지 않는 것

③ 가족들이 자신에게 소리치지 않는 것

④ 시골 할머니 댁에 절대 가지 않는 것

어휘력 체크체크

밑줄 친 낱말의 알맞은 뜻을 찾아 ✔표 하시오.

1. 가족 모두 **거실**에 앉아서 텔레비전을 보고 있었다.

① 가족이 일상 모여서 생활하는 공간. (　　)

② 음식을 만들고 설거지를 하는 곳. (　　)

2. 불이 나자 사람들이 **아우성**을 질렀다.

① 아무 말도 없이 잠잠히 있음. (　　)

② 여럿이 함께 악을 쓰며 부르짖는 소리. (　　)

독서 감상문 문제 ❶~❸

오늘 내가 읽은 책은 『흥부와 놀부』입니다. 『흥부와 놀부』는 제목처럼 흥부와 놀부 형제가 주인공입니다. 가장 재미있었던 부분은 형 놀부의 박 안에서 도깨비들이 나오는 장면이었습니다. 동생 흥부가 탄 박 안에는 금은보화가 들어 있었는데, 놀부의 박 안에서는 도깨비들이 나와 놀부를 혼내는 것을 보고 통쾌했습니다.

만약 내가 박을 얻어서 타게 된다면, 나의 박에서는 어떤 것이 나올까 상상도 해 보았습니다. 엄마께 이 이야기를 하자, 평소에 네가 어떻게 행동하느냐에 따라 박에서 나오는 것이 달라질 것이라고 하셨습니다. 그래서 나는 앞으로 흥부처럼 다른 사람들을 더 잘 도와주는 착한 사람이 되어야겠다고 다짐했습니다.

1

내용 파악

오늘 내가 읽은 책의 주인공은 누구와 누구입니까?

☐☐ 와 ☐☐

2

내용 파악

'놀부의 박'과 '흥부의 박'에서 나온 것은 각각 무엇입니까?

(1) 놀부의 박: ☐☐☐

(2) 흥부의 박: ☐☐☐☐

3

추론

이 글을 읽고 얻을 수 있는 교훈은 무엇입니까?

① 착한 일을 하면 그에 따른 복이 온다.

② 착한 일은 아무도 모르게 해야 한다.

③ 선물을 받으려면 착한 일을 해야 한다.

④ 다른 사람에게 착한 일을 강요하면 안 된다.

　　'가는 말이 고와야 오는 말이 곱다.'라는 속담이 있습니다. 이 속담은 내가 다른 사람으로부터 좋은 말을 듣고 싶으면, 내가 먼저 그 사람에게 좋은 말을 해야 한다는 뜻입니다. 만약 내가 친구에게 욕설을 하거나 기분이 나쁜 말을 한다면, 친구도 나에게 기분이 나쁜 말을 할 것입니다. 그러면 서로 기분이 상하게 되고 둘 사이가 나빠지게 될 것입니다. 말을 어떻게 하느냐에 따라 친구 사이가 더 좋아질 수도 있고, 더 나빠질 수도 있는 것입니다.

　　따라서 우리는 친구와 이야기할 때, 아름답고 고운 말을 사용해야 합니다. 아름답고 고운 말을 사용하는 것은 듣는 사람의 기분을 좋게 해 줍니다. 내 말을 듣고 기분이 좋아진 친구는 나에게도 기분이 좋은 말을 해 줄 것입니다. 그러면 내 기분도 함께 좋아질 것입니다. 아름답고 고운 말을 사용하여 친구들과 사이좋게 지내면 좋겠습니다.

4 이 글을 쓴 목적은 무엇입니까?

글의 목적

아름답고 고운 말을 사용하자고 사람들을 　　　　　하는 것입니다.

5 기분 나쁜 말을 했을 때, 친구 사이에 나타날 수 있는 일은 무엇입니까?

중심 내용

① 서로 사이가 더 좋아진다.　　　② 서로 기분이 좋아지게 된다.

③ 서로 기분이 상하게 된다.　　　④ 서로 좋은 말을 해 주게 된다.

6 '가는 말이 고와야 오는 말이 곱다.'라는 속담은 무슨 뜻입니까?

내용 파악

① 때와 장소에 맞는 말을 해야 한다.

② 다른 사람의 말만 믿고 행동하면 안 된다.

③ 말을 할 때에는 또박또박 정확한 발음으로 해야 한다.

④ 남에게 먼저 좋은 말을 해야 나도 좋은 말을 들을 수 있다.

【어린이 축구단 단원 모집】

우리 동네에서는 어린이 축구단 단원을 모집합니다. 단원이 되어 축구도 배우고, 체력도 [　　] 동네 친구들과 즐겁게 놀아요.

■ 누구나 축구단 단원이 될 수 있나요?

– 우리 동네에 사는 8~10살의 친구라면 누구나 될 수 있어요.

■ 축구단 단원이 되면 무엇을 하나요?

– 매월 둘째, 넷째 주 토요일 9시~11시까지 동네 체육센터에서 친구들과 함께 축구를 해요.

■ 축구단의 감독님은 누구인가요?

– 프로축구 선수 출신의 선생님께서 감독님이 되어 축구를 가르쳐 주세요.

■ 축구단 단원이 되려면 어떻게 해야 하나요?

– 먼저 신청서를 써서 3월 31일까지 체육센터 1층 사무실에 제출하세요.

■ 비용은 얼마인가요?

– 수강료는 무료이지만, 축구화나 개인 물품은 각자 준비하세요.

친구들의 많은 참여를 기다립니다.

〈○○ 동네 체육센터〉

7

글의 목적

이 글을 쓴 목적은 무엇입니까?

어린이 축구단 단원을 [　][　] 하기 위해서입니다.

8

어휘

[　　　] 안에 알맞은 낱말을 아래에서 골라 ○표 하시오.

기르며   가꾸며

9

추론

'어린이 축구단 단원'이 되기 위해 가장 먼저 할 일은 무엇입니까?

① 토요일 9시에 체육센터 운동장으로 찾아간다.

② 신청서를 써서 체육센터 1층 사무실에 제출한다.

③ 체육센터에 전화해서 비용이 얼마인지 물어본다.

④ 감독님께 어린이 축구단에 들어가고 싶다고 말한다.

어휘력 체크체크

다음 뜻을 보고 어떤 낱말인지 [보기]에서 찾아 쓰시오.

| 보기 |

모집   참여   단원

1. 뜻: 어떤 단체에 속한 사람.

예 우리 학교 합창단에서 [　|　] 을 뽑았다.

2. 뜻: 사람이나 작품을 일정한 조건 아래 널리 알려 뽑아 모음.

예 방학 동안 활동할 자원봉사자를 [　|　] 합니다.

3. 뜻: 어떤 일에 끼어들어 관계함.

예 이번 발표회에 학부모님들의 [　|　] 가 너무 적었다.

13 일차

♣ 공부한 날:　　월　　일　♣ 맞은 개수:　　　　/ 9문항

일기　문제 ❶~❸

2000년 ○월 ○일, 날씨 흐림

　사촌 오빠인 현서 오빠를 따라 미술관에 다녀왔다. 부모님과 미술관에 간 적은 있었지만, 현서 오빠와 함께 간 적은 처음이었다. 현서 오빠는 원래 혼자 미술관에 가려고 했지만, 보려던 전시를 내가 좋아할 것 같아서 같이 가자고 한 것이라고 했다. 나는 사실 무슨 전시인지도 모르고 오빠가 가자고 해서 간 것이었다. 그런데 내가 좋아하는 만화에 대한 전시여서 아주 재미있게 보았다.

　우리나라에서 처음 책으로 나온 만화도 전시되어 있었고, 엄마 아빠가 어릴 적에 보았을 것 같은 만화책도 있었다. 마지막 부분에서는 요즘 나온 만화책이 전시되어 있었는데, 내가 잘 아는 만화책들이 있어서 반가웠다. 또 책으로 나온 만화뿐만 아니라 영화로 나온 것, 게임으로 나온 것, 인터넷으로 볼 수 있는 것들도 있었다. 미술관에서 나와서는 오빠가 아이스크림을 사 주어서 맛있게 먹었다.

1

중심 내용

이 글은 어떤 경험에 대한 내용입니까?

□□ 에 대한 전시를 보기 위해 미술관에 간 경험입니다.

2

내용 파악

이 글의 내용과 맞으면 ○표, 틀리면 ×표 하시오.

(1) 나는 현서 오빠에게 미술관에 가자고 제안했다. (　　)

(2) 나는 오늘 처음으로 미술관에 가 보았다. (　　)

(3) 현서 오빠는 나에게 아이스크림을 사 주었다. (　　)

3

추론

내가 미술관에서 본 것 두 가지는 무엇입니까?

① 여러 시대의 만화책　　　　② 다양한 종류의 만화들

③ 유명한 만화가의 사인　　　④ 만화를 그리는 도구들

　　서예는 먹물을 묻힌 붓으로 글씨를 아름답게 쓰는 예술입니다. 서예는 글씨를 예쁘게만 쓰는 것이 아니라, 쓰는 사람의 생각이 잘 표현될 수 있도록 써야 합니다. 곧고 바른 글자나 일부러 거친 모양의 글자를 써서 아름다움을 보여 주기도 합니다. 그래서 서예의 아름다움은 여러 가지로 나타날 수 있습니다.

　　서예를 할 때에는 네 가지의 도구가 필요합니다. 그것은 먹, 벼루, 화선지, 붓입니다. 먹은 나무를 태운 숯을 다른 재료와 섞어서 만드는데, 검은색 잉크의 역할을 합니다. 벼루는 먹을 갈 때 사용하는 돌입니다. 벼루에 물을 부어 먹을 갈면 먹물이 만들어집니다. 화선지는 글씨를 쓰는 종이인데, 화선지를 쓰는 이유는 먹물을 잘 흡수하기 때문입니다. 붓은 연필과 같은 역할로 끝이 뾰족한 모양을 사용합니다. 이 밖에도 물을 담아두는 연적 ⑤ 이 필요합니다.

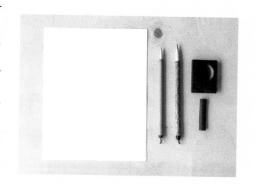

④ 이 글에서 설명하고 있는 것은 무엇입니까?

중심 내용

서예의 아름다움과 서예에 필요한

⑤ ⑤에 들어갈 말로, '그 밖에도 같은 종류의 것이 더 있음.'을 나타내는 한 글자의

어휘 **낱말을 쓰시오.**

⑥ 서예의 특징을 가장 잘 이해하고 있는 사람은 누구입니까?

내용 적용

① 소연: 거친 모양으로 글씨를 쓰면 아름답지 않아.

② 나미: 곧고 바르게 글씨를 써야만 서예라고 할 수 있어.

③ 예성: 서예의 아름다움을 나타내는 방법은 여러 가지가 있어.

④ 준구: 서예를 할 때는 자신의 생각이 표현되지 않도록 해야 해.

옛날 옛적에 어느 삼 형제가 있었습니다. 이 삼 형제는 귀중한 보물을 하나씩 가지고 있었습니다. 첫째는 아주 먼 곳까지 볼 수 있는 망원경을 가지고 있었습니다. 둘째는 어디든지 날아갈 수 있는 양탄자를 가지고 있었습니다. 막내는 먹으

면 어떤 병이라도 낫게 하는 사과를 가지고 있었습니다. 그런데 어느 날, 이웃 나라의 공주가 불치병에 걸렸습니다. 왕은 공주를 낫게 해 주는 사람을 공주의 남편으로 맞이하겠다는 글을 써서 붙였습니다.

첫째가 망원경으로 이 글을 보았습니다. 첫째는 두 동생에게 글에서 본 내용을 말하며, 공주의 병을 고치러 가자고 했습니다. 그래서 삼 형제는 둘째의 양탄자를 타고 이웃 나라로 금방 날아갔습니다. 그리고 막내가 가진 사과를 공주에게 먹여서 공주의 병을 낫게 했습니다. 왕은 매우 기뻐했지만, 새로운 근심이 생겼습니다. 바로 삼 형제 중 누구를 공주와 결혼시킬까 하는 것이었습니다.

첫째는 자신의 망원경이 아니었다면 공주가 병에 걸렸다는 사실을 알 수 없었을 것이라고 했습니다. 둘째는 양탄자가 아니었다면 이웃 나라에 빨리 도착할 수 없었을 것이라고 했습니다. 막내는 공주의 병을 낫게 한 것은 자신의 사과라고 했습니다. 왕은 결국 사과를 가지고 있었던 막내를 공주와 결혼시키기로 했습니다. 첫째와 둘째는 여전히 망원경과 양탄자를 가지고 있지만, 막내는 사과를 공주에게 줌으로써 사과를 잃었기 때문이었습니다.

❼ 삼 형제가 가지고 있는 보물은 각각 무엇입니까?

핵심어

(1) 첫째: ☐☐☐

(2) 둘째: ☐☐☐

(3) 막내: ☐☐

8 다른 형제들에게 공주의 병을 고치러 가자고 말한 사람은 몇 째입니까?

내용 파악

<table>
<tr><td></td><td></td></tr>
<tr><td></td><td></td></tr>
</table>

9 왕이 공주의 남편을 정할 때 기준으로 삼은 것은 무엇입니까?

추론

① 공주의 병이 무엇인지 아는 사람은 누구인가?

② 공주를 위하여 가장 희생한 사람은 누구인가?

③ 공주에게 빨리 올 수 있도록 노력한 사람은 누구인가?

④ 공주가 병에 걸렸다는 사실을 가장 먼저 안 사람은 누구인가?

어휘력 체크체크

다음 뜻을 가진 낱말에 ○표 하시오.

1. 고치지 못하는 병.

| 불치병 | 꾀병 |

2. 해결되지 않은 일 때문에 속을 태우거나 우울해함.

| 행운 | 근심 |

3. 매우 가치가 크고 중요함.

| 귀중 | 낭비 |

14 일차

설명하는 글 문제 ❶～❸

　　많은 사람들이 즐겨 먹는 김, 이 김의 고향은 바닷속입니다. 얇고 네모난 모양 때문에 김이 바닷속 식물이라는 것을 잘 모르는 사람들도 있습니다. 우리가 마트에서 보는 김은 바다에서 채취하여 얇게 펴서 말린 상태로 판매됩니다. 이렇게 가공된 김은 그냥 먹기도 하고, 구워서 고소하게 먹기도 합니다.

　　김 외에도 바닷속에서 사는 식물은 어떤 것이 있을까요? 역시 우리가 자주 먹는 미역, 다시마, 파래 등도 바닷속에서 삽니다. 이렇게 바닷속에 사는 식물들을 해조류라고 합니다. 해조류는 다른 식물들처럼 햇빛을 받아 스스로 양분을 만듭니다. 해조류는 바다의 어느 곳에 사는지에 따라 색깔이 다릅니다. 얕은 바다에 살면 녹색을, 중간 깊이의 바다에 살면 갈색을, 더 깊은 바다에 살면 붉은색을 띕니다. 그래서 해조류의 색깔을 보면 그 해조류가 얼마나 깊은 바닷속에서 살았는지를 알 수 있습니다.

1

핵심어

이 글에서 가장 중요한 낱말 두 개를 고르시오.

고향　　　김　　　파래　　　해조류

2

내용 적용

깊은 바닷속에서 사는 순서대로 번호를 쓰시오.

① 　② 　③

3

내용 파악

해조류는 양분을 어떻게 만듭니까?

① 햇빛을 받아서 만듭니다.　　② 음식물을 통해서 만듭니다.

③ 조개의 도움으로 만듭니다.　　④ 물고기를 먹어서 만듭니다.

오늘 제가 소개할 물건은 우리 엄마가 매우 아끼는 커피머신입니다. 이 커피머신은 엄마의 생일 선물로 아빠가 사 주신 것인데, 이 선물을 받고 엄마는 매우 기뻐했습니다. 왜냐하면 엄마는 매일 커피를 마실 만큼 커피를 좋아하기 때문입니다. 엄마는 디자인도 마음에 꼭 든다면서, 이 커피머신에 '커둥이'라는 별명도 붙여주었습니다.

커둥이는 크게 세 부분으로 나누어져 있습니다. 가운데에 커피가 나오는 본체가 있고, 양 옆에 물이 들어 있는 투명한 물통과 우유 거품을 만드는 올록볼록한 모양의 거품기가 있습니다. 크기는 커피가 나오는 본체가 가장 큽니다. 본체의 윗부분에는 커피가루를 넣는 입구가 있고, 아랫부분에는 커피가 나오는 구멍이 있습니다. 본체에서 커피가 나올 때에는 물통에 들어 있는 물의 양이 점점 줄어드는 것이 보입니다. 엄마가 커둥이로 커피를 내리는 모습을 보면 참 신기합니다.

❹ 이 글은 어떤 글입니까?

글의 종류

엄마의 커피머신을 ☐☐ 하는 글입니다.

❺ 커피머신의 각 부분에 대한 설명을 바르게 연결하시오.

내용 적용

(1) 본체 •　　　　　　• ㉠ 커피가 나올 때 물이 줄어든다.

(2) 물통 •　　　　　　• ㉡ 올록볼록한 모양이다.

(3) 거품기 •　　　　　　• ㉢ 세 부분 중에서 가장 크다.

❻ 엄마가 커피머신을 선물로 받고 기뻐한 이유는 무엇입니까?

내용 파악

① 비싼 상표의 제품이기 때문에

② 커피를 매우 좋아하기 때문에

③ 커피머신의 색이 마음에 들었기 때문에

④ 친구들에게 자랑할 수 있게 되었기 때문에

요즘은 우리나라에서도 외국인을 자주 만나게 됩니다. 길거리에서 볼 때도 있고, 학교에 외국인 손님이 올 때도 있습니다. 앞으로 우리가 외국에 가게 될 경우도 있을 것이기 때문에, 우리가 외국인을 만나게 될 기회는 점점 많아질 것입니다.

그런데 외국인을 만났을 때, 무작정 피하려고만 하고 인사도 잘 받아주지 않는 사람들이 있습니다. 이런 사람들이 외국인을 싫어해서 그런 것은 아닐 것입니다. 외국인과 만나는 것이 익숙하지 않고, 어색해서 피하는 것입니다. 하지만 우리의 이러한 모습은 외국인들에게 자기를 싫어해서 피한다는 오해를 일으킬 수 있습니다. ☐☐☐☐ 나라인 한국에 와서 사람들에게 인사를 했는데, 인사를 받아주지 않는다면 외국인의 입장에서는 매우 당황스러울 것입니다.

조금 어색하더라도, 외국인에게 먼저 인사하고 반갑게 맞이하는 우리가 되었으면 좋겠습니다. 외국어를 꼭 잘할 필요는 없습니다. 간단한 외국어나 우리말로 인사를 해도 좋습니다. 외국인이 우리말을 이해하지 못한다고 해도, 따뜻하게 인사를 해 준다는 느낌은 충분히 전달될 것입니다. 우리의 작은 인사 하나하나가 외국인들에게 우리나라에 대한 인상을 좋게 만들어 줄 것입니다. 오늘부터 바로 실천하면 어떻겠습니까?

⑦ 글의 주제

이 글에서 주장하는 것은 무엇입니까?

외국인들에게 반갑게 ☐☐ 하자.

⑧ 어휘

☐☐☐☐ 에 들어갈 말로, '전에 본 기억이 없어 익숙하지 아니한'이라는 뜻의 낱말을 바르게 쓴 것에 ○표 하시오.

낯선   낱선

9 우리나라 사람들이 외국인을 만났을 때 피하는 이유는 무엇입니까?

내용 파악

① 외국인을 싫어해서

② 외국인이 무서워서

③ 익숙하지 않고 어색해서

④ 오해를 일으키게 될까봐

어휘력 체크체크

밑줄 친 낱말의 알맞은 뜻을 찾아 ✔표 하시오.

1. 아무런 계획도 없이 무작정 집을 나섰다.

① 아무 조건도 없음. (　　)

② 어떻게 하리라고 미리 정한 것이 없이. (　　)

2. 나는 대화를 통해 친구와 오해를 풀었다.

① 사실과 다르게 해석하거나 이해함. (　　)

② 말이나 글의 뜻을 잘 알아들음. (　　)

3. 처음 만났을 때 좋은 인상을 남기는 것이 좋다.

① 미운 짓을 하거나 밉게 생긴 사람. (　　)

② 어떤 것에 대하여 마음속에 새겨지는 느낌. (　　)

주장하는 글 문제 ❶~❸

　버스는 많은 사람들이 함께 이용하는 대중교통입니다. 그런데 옆 사람과 큰 소리로 이야기하거나, 다른 사람들에게 다 들리도록 전화를 하는 사람들이 있습니다. 버스가 움직이는 소음에 사람들의 목소리까지 더해지면 버스 안은 매우 시끄러워집니다. 이러한 소음은 버스에 탄 사람들을 불쾌하게 만듭니다.

　그러므로 버스 안에서는 조용히 해야 합니다. 버스는 나뿐만 아니라 다른 사람들도 많이 이용하기 때문에, 다른 사람들을 배려해야 합니다. 옆 사람과 이야기할 때에는 낮은 목소리로 해야 하고, 전화도 가능하면 하지 않는 것이 좋습니다. 음악을 들을 때에도 이어폰을 끼고 들어야 합니다. 이렇게 서로 조금만 노력한다면, 우리는 모두 버스를 즐겁게 탈 수 있을 것입니다.

---

❶
글의 주제

이 글에서 주장하는 것은 무엇입니까?

[|] 안에서는 조용히 해야 합니다.

---

❷
내용 적용

버스에서 다른 사람들을 배려하는 모습이 <u>아닌</u> 것은 무엇입니까?

① 　② 　③

---

❸
추론

글쓴이는 어떤 사람들 때문에 이 글을 쓰게 되었습니까?

① 버스에서 책을 읽고 있는 사람들

② 버스에서 휴대폰만 보고 있는 사람들

③ 버스에서 시끄러운 소음을 내는 사람들

④ 버스에서 자리를 양보하지 않는 사람들

강강술래는 우리나라의 대표적인 민속놀이입니다. 30~40년 전만 해도 전라남도의 해안 지역에서는 추석날 밤에 여성들이 흥겨운 가락에 맞춰 노래를 부르며 강강술래를 하는 모습을 볼 수 있었습니다. 젊은 여성들은 아끼던 고운 한복을 입고 동산이나 들판에 나가 흥겹게 강강술래를 즐겼습니다.

휘영청 밝은 보름달이 떠오르면, 참가자들은 서로 손을 잡고 둥근 원을 만들며 '강강술래'라고 외치며 뛰었습니다. 원의 크기와 뛰는 속도는 참가자의 수와 노랫소리의 박자에 따라 달랐습니다. '강강술래'라고 외치는 소리는 목청이 가장 좋은 사람이 먼저 시작합니다. 그러면 나머지 사람들이 원을 그리며 돌면서 '강강술래'를 따라 합니다. 마을마다 외치는 소리의 내용은 달랐지만 리듬은 비슷했습니다.

❹ 이 글에서 설명하고 있는 민속놀이는 무엇입니까?

핵심어

❺ 이 글의 내용에 맞으면 ○표, 틀리면 ×표 하시오.

내용 파악

(1) 원의 크기와 뛰는 속도는 상황에 따라 다르다.   (   )

(2) 마을마다 같은 내용의 소리를 외쳤다.   (   )

(3) '강강술래'라고 부르는 소리는 어른이 먼저 시작한다.   (   )

❻ 이 글에서 알 수 <u>없는</u> 내용은 무엇입니까?

추론

① 놀이를 하는 날

② 놀이를 할 때 입는 옷

③ 놀이를 처음 시작하게 된 이유

④ 놀이에 참가하는 사람들의 성별

옛날 옛날에 아주 착한 농부 부부가 살고 있었습니다. 부부는 가난했지만 서로를 아끼며 살았습니다. 어느 날 부부는 평소처럼 밭에서 일을 하고 있었습니다. 그런데 아내가 남편을 갑자기 불렀습니다.

"㉠ 여보, 당신보다 큰 무가 있어요!"

남편은 믿지 못했습니다. 왜냐하면 세상에 사람보다 큰 채소가 있다는 말은 들어보지 못했기 때문이었습니다. 그런데 아내에게 간 남편 앞에 정말 남편의 키보다 더 큰 무가 있었습니다. 너무 놀란 남편은 힘들게 무를 뽑은 다음, 아내에게 무를 사또께 바치자고 했습니다. 부부는 힘을 합쳐 무를 사또께 가지고 갔습니다. 사또는 부부의 마음씨에 감동하여, 송아지를 선물로 주었습니다.

이 소식을 들은 마을의 욕심쟁이 부자는 너무 배가 아팠습니다. 그리고 생각했습니다.

'무를 바치고 송아지를 얻다니, 그럼 내가 황소를 바치면 사또께서 어마어마한 선물을 주시겠지?'

부자는 황소를 끌고 가서 사또께 바쳤습니다. 사또는 또 감동해서, 부자에게 어떤 선물을 줄까 고민했습니다.

"아, 희귀한 무가 있었지!"

사또는 부자에게 선물로 무를 주었습니다. 부자는 당황했지만, 선물을 바꿔 달라고 할 수는 없었습니다. 욕심쟁이 부자는 울면서, 커다란 무를 힘들게 끌고 집으로 돌아갔습니다.

7 이 글을 읽고 얻을 수 있는 교훈은 무엇입니까?

글의 주제

지나친 ☐☐ 을 부리지 말자.

8

문법 지식

㉠이 띄어쓰기에 맞도록, 띄어 써야 할 곳에 V 표시를 하시오.

> 여보, 당신보다큰무가있어요!

9

추론

부자가 사또에게 황소를 바친 이유는 무엇입니까?

① 좋은 선물을 받고 싶은 욕심 때문에

② 사또를 감동시키려는 착한 마음씨 때문에

③ 자신은 더 이상 황소가 필요 없기 때문에

④ 가난한 부부에게 도움이 되고 싶었기 때문에

다음 뜻을 보고 어떤 낱말인지 [보기]에서 찾아 쓰시오.

보기
희귀   감동   감사

1. 뜻: 크게 느끼어 마음이 움직임.

예 장애인 올림픽은 우리에게 또 다른 ☐☐ 을 주었다.

2. 뜻: 드물어서 특이하거나 매우 귀함.

예 그 보석은 좀처럼 보기 힘든 ☐☐한 것이다.

중요한 낱말을 다시 한번 확인하고 □에 써 보세요.

포기 (던질 抛, 버릴 棄)	하려던 일을 도중에 그만두어 버림. 예 이제 와서 ☐☐ 하는 것은 너무 아쉽지 않니?
범벅	여러 가지 사물이 뒤섞이어 갈피를 잡을 수 없는 상태. 예 엄마의 얼굴은 눈물로 ☐☐ 이 되어 있었다.
출신 (날 出, 몸 身)	직업이나 학교 등에 사회적으로 속해 있던 내력. 예 운동 감독 중에는 선수 ☐☐ 이 꽤 많다.
제출 (끌 提, 날 出)	문안이나 의견, 법안 따위를 냄. 예 여러분의 의견을 ☐☐ 해 주시기 바랍니다.
판매 (팔 販, 팔 賣)	상품 따위를 팖. 예 아이스크림을 할인 ☐☐ 하는 가게가 늘어났다.
양분 (기를 養, 나눌 分)	영양이 되는 성분. 예 토양에 ☐☐ 이 풍부하여 나무가 잘 자란다.
리듬	음의 장단이나 강약 따위가 반복될 때의 그 규칙적인 음의 흐름. 예 춤을 출 때는 ☐☐ 에 맞게 몸을 움직여야 해.

[01~03] 다음의 뜻에 알맞은 낱말을 [보기]에서 찾아 쓰시오.

| 보기 |
| 출신   범벅   판매 |

01 상품 따위를 팖.

02 직업이나 학교 등에 사회적으로 속해 있던 내력.

03 여러 가지 사물이 뒤섞이어 갈피를 잡을 수 없는 상태.

[04~06] 주어진 뜻풀이를 읽고, □ 안에 알맞은 낱말을 넣어 문장을 완성하시오.

04 여러분의 의견을 ☐☐해 주시기 바랍니다.

＊뜻: 문안이나 의견, 법안 따위를 냄.

05 우리는 ☐☐에 맞춰 춤을 추었다.

＊뜻: 음의 장단이나 강약 따위가 반복될 때의 그 규칙적인 음의 흐름.

06 토양에 ☐☐이 풍부하여 나무가 잘 자란다.

＊뜻: 영양이 되는 성분.

07 주어진 문장을 읽고, □ 안에 공통으로 들어갈 낱말을 쓰시오.

| 포 기 | ① 나는 끝까지 ☐☐하지 않을 거야. |
| | ② ☐☐할 때 하더라도 우선 시작해 보자. |

16~20 일차

일기   문제 ❶~❷

ㅗ◯◯◯년 ◯월 ◯일, 날씨 맑음

미술 시간에 모자이크를 했다. 모자이크는 스케치북에 밑그림을 그린 후 색종이나 잡지를 아주 작게 찢어서 밑그림 위에 붙이는 그림이다. 미혜는 그냥 크게 색종이를 붙이면 될 것을 작게 찢어 붙인다고 귀찮아했다. 그래서인지 미혜가 만든 작품의 색종이 크기는 좀 컸다. 나는 아주 작은 크기로 색종이를 찢어 붙였다. 크게 붙이는 것보다 힘은 더 들었지만 작은 것이 훨씬 예쁠 것 같았다. 선생님께서 보시고 나에게 꼼꼼하다고 칭찬해 주셨다.

작품을 완성하고 나서 우리는 교실 뒤에 작품을 전시했다. 나는 활짝 핀 장미꽃 그림이었는데 특별한 느낌을 주려고 꽃잎의 색을 파란색으로 했다. 친구들이 보고 장미꽃에서 신비한 느낌이 난다고 했다. 친구들도 좋은 이야기를 해 주고 선생님께 칭찬도 받아서 뿌듯했다. 다음 미술 시간이 기다려진다.

❶   **미혜와 나의 작품에서 색종이의 크기는 어떻게 다릅니까?**

내용 파악

(1) 미혜의 작품: 색종이의 크기가 좀 ☐☐.

(2) 나의 작품: 색종이의 크기가 아주 ☐☐.

❷   **선생님께서는 왜 나를 칭찬해 주셨습니까?**

중심 내용

① 꼼꼼하게 색종이를 붙였기 때문에

② 작품에서 신비한 느낌이 났기 때문에

③ 선생님께서 좋아하시는 꽃을 그렸기 때문에

④ 반 친구들 중에서 가장 열심히 노력했기 때문에

바닷물은 강물과 [   ] 짠맛이 납니다. 이렇게 바닷물이 짠 것은 무엇 때문일까? 그것은 소금 때문입니다. 바닷물에는 소금이 들어 있는데, 바닷물에 소금이 들어 있는 이유는 바로 비 때문입니다. 이 소금은 육지에 있는 바위나 토양 등에서 나옵니다. 비가 내려 빗물이 바위나 토양의 표면을 씻어 내리면, 여기에 있던 소금 성분이 빗물에 녹으면서 바다로 흘러가는 것입니다. 바다에 모인 물은 햇볕을 받아 다시 수증기로 증발하고, 소금만 남아 바닷물을 짜게 만듭니다.

바닷물의 짠맛은 바다에 따라 다릅니다. 강물이 많이 흘러드는 바다는 물속에 들어 있는 소금의 양이 다른 곳보다 적어서 덜 짭니다. 우리나라도 강물이 많이 흘러드는 서해가 동해보다 덜 짭니다. 뜨거운 열대 지방의 바다는 물이 많이 증발하기 때문에 짠맛이 강합니다. 어떤 바다는 물의 증발이 심해 소금의 양이 매우 많고 너무 짜서 쓴맛이 날 정도인 곳도 있습니다.

❸

글의 주제

이 글에서 설명하고 있는 것은 무엇입니까?

바닷물이 짠 [ ][ ]

❹

어휘

[   ]에 들어갈 말로, '비교가 되는 두 대상이 서로 같지 아니하게'라는 뜻을 가진 낱말에 동그라미 하시오.

틀리게   다르게

❺

추론

우리나라의 동해는 왜 서해보다 더 짭니까?

① 서해의 소금 양이 더 많기 때문에

② 동해에는 바위가 많이 없기 때문에

③ 동해에는 강물이 적게 흘러들기 때문에

④ 서해에서 물이 더 많이 증발하기 때문에

안녕하세요. 오늘 제가 소개할 우리의 전통문화는 풍물놀이입니다. 풍물놀이는 우리나라에서 전통적으로 내려오는 놀이로, 여러 가지 악기를 연주하며 춤을 추고 흥을 돋우는 놀이입니다. 이때 사용되는 악기는 장구, 북, 꽹과리, 징, 나발, 태평소 등이 있습니다.

그런데 여러분은 풍물놀이보다 사물놀이라는 말이 더 익숙하지요? 그것은 아마도 우리 학교에 사물놀이부가 있어서 그럴 것입니다. 풍물놀이와 사물놀이는 비슷한데, 몇 가지 부분에서 차이가 있습니다. 가장 큰 차이는 사용하는 악기의 수입니다. 풍물놀이에서는 여러 개의 악기가 사용됩니다. ☐ 사물놀이는 네 가지 악기만 사용합니다. 바로 장구와 북, 꽹과리, 징입니다. 또 풍물놀이는 야외에서 하는 반면, 사물놀이는 주로 실내에서 앉아서 연주한다는 점도 다릅니다.

우리 조상들은 농사가 잘되기를 바라고, 마을 사람들이 건강하기를 바라면서 풍물놀이를 했다고 합니다. 또 함께 모여 북을 치고 장구를 치는 과정에서 서로 협력하며 사이가 좋아지기도 했답니다. 지금도 풍물놀이를 보면 흥겹게 악기를 연주하면서 협동했던 우리 조상들의 마음이 전해지는 것 같습니다.

 6
핵심어

이 글의 중심 소재는 무엇입니까?

풍물놀이　　　　　　　　　　　　　사물놀이

 7
어휘

☐ 에 들어갈 말로, '뒤에 오는 말이 앞의 내용과 반대됨.'을 나타내는 말은 무엇입니까?

① 하필　　　　② 차마　　　　③ 비록　　　　④ 반면

8

중심 내용

풍물놀이와 사물놀이의 차이점 두 가지는 무엇입니까?

① 놀이를 하는 장소

② 부르는 노래의 종류

③ 사용하는 악기의 수

④ 놀이를 할 때 입는 옷

어휘력 체크체크

다음 뜻을 가진 낱말에 ○표 하시오.

1. 재미나 즐거움을 일어나게 하는 감정.

흥	끼

2. 서로 같지 아니하고 다름.

구분	차이

3. 힘을 합하여 서로 도움.

협력	경쟁

안내문 문제 ①~②

【초대합니다】

시와 그림이 함께하는 시화 전시회에 학부모님을 초대합니다. 새날초등학교 학생들이 동시집에서 고른 동시와 직접 그린 그림의 만남! 많이 오셔서 멋진 작품도 감상하고 학생들에게 격려의 박수도 보내 주세요.

■ 전시 기간: 20○○년 10월 14일(수)~18일(일)

■ 전시 시간: 오전 9시~오후 6시

■ 전시 장소: 새날동 학습지원센터 1층

*14일(수)~16일(금) 3일간은 매일 오후 5시에 바이올린 연주가 있습니다.

*사진 촬영 가능합니다.

새날초등학교장

---

1 이 글의 내용에 맞으면 ○표, 틀리면 ×표 하시오.

내용 파악

(1) 시화 전시회는 4일 동안 열립니다.　　　　(　　)

(2) 학생들이 직접 쓴 동시를 볼 수 있습니다.　(　　)

(3) 바이올린 연주는 주말에는 하지 않습니다.　(　　)

---

2 초대 받은 사람이 할 수 있는 일이 <u>아닌</u> 것은 무엇입니까?

추론

① 학생들의 작품을 감상하는 것

② 자신의 작품을 함께 전시하는 것

③ 학생들에게 격려의 박수를 보내는 것

④ 마음에 드는 작품을 사진으로 찍는 것

나는 학교 도서관에서 『꾀 많은 토끼』라는 책을 빌렸다. 이 책을 빌린 이유는 우리 집에서 키우는 토순이가 생각났기 때문이다. 우리 토순이는 상추만 좋아하고 별로 꾀가 없어 보이는데, 책의 제목을 보고 꾀 많은 토끼는 어떤 토끼인지 궁금해졌다.

책을 읽어 보니 책 속의 토끼는 정말 꾀가 많았다. 물론 처음에는 바닷속 구경을 시켜주겠다는 자라의 말에 속아 용궁으로 가게 되었지만, 그 뒤부터는 정말 똑똑하게 행동했다. 간을 내 놓으라는 용왕님의 말은 사실 죽으라는 것인데, 그 무서운 순간에 어떻게 간을 육지에 두고 왔다고 할 수 있었을까? 그래서 간을 가지러 간다고 하면서 다시 육지로 돌아와, 자라를 따돌리고 도망친 토끼가 대단하다고 생각했다. 위험한 순간이었지만 토끼는 꾀를 내어 살 수 있었다. 긴장감이 있고 재미있었다.

❸ 이 글은 어떤 글입니까?

글의 종류

『꾀 많은 토끼』를 읽고 쓴 ☐☐☐☐☐ 입니다.

❹ 내가 읽은 책의 내용과 맞으면 ○표, 그렇지 않으면 ×표 하시오.

내용 파악

(1) (　　　)　　　(2) (　　　)　　　(3) (　　　)

❺ '꾀 많은 토끼'에 대해 잘못 이해한 사람은 누구입니까?

내용 적용

① 주연: 하마터면 용왕님에게 간을 빼앗길 뻔 했구나.

② 선율: 위험한 상황에서도 꾀를 내어 목숨을 구할 수 있었어.

③ 민서: 간을 가지고 돌아가지 못하게 되어 조금 불쌍하기도 해.

④ 화은: 용궁에 따라간 걸 보면 처음부터 똑똑하지는 않았던 것 같아.

옛날 옛적에, 어느 시골 마을에 사는 농부가 큰 시장이 있는 한양에 가게 되었습니다. 아내는 농부에게 시장에 가면 참빗을 사달라고 하면서, 농부가 잊어버릴까봐 하늘의 달을 가리켰습니다.

"저 반달처럼 생긴 거예요. 잊어버리면 하늘의 달을 보고 기억하세요."

농부는 먼 길을 걸어 한양의 시장에 도착했습니다.

'아내가 달 같이 생긴 걸 사오라고 했지. 아, 저것이구나!'

그런데 농부가 먼 길을 걸어오는 동안 반달은 어느새 보름달이 되었고, 농부는 동그란 거울을 사고 말았습니다. 집으로 돌아온 농부는 아내에게 선물로 산 거울을 주었습니다.

"아니, 남편이 한양에서 젊은 여자를 데려왔네!"

거울을 본 아내는 엉엉 울었습니다. 곧 시어머니가 달려와 거울을 보고는,

"아니다, 며늘아. 쭈그렁 할머니를 데려왔는데?"

라고 하였습니다. 마침 방으로 들어온 어린 아들이 거울을 보고는 너무 놀라 먹던 엿을 떨어뜨렸습니다. 아들은 어떤 아이가 자기 엿을 뺏어갔다고 울기 시작했습니다.

거울에서 도깨비가 나온다고 생각한 가족은 결국 거울을 들고 사또께 찾아갔습니다. 사또는 거울을 보고 너무 놀라 거울을 떨어뜨렸고, 이에 거울은 와장창 깨져버렸습니다. 더 이상 거울에서는 새로운 사람이 보이지 않았고, 가족들은 안심하며 집으로 돌아갔습니다.

6 아내가 사 달라고 한 것과 남편이 사온 것은 각각 무엇입니까?

핵심어

(1) 아내가 사 달라고 한 것: ☐☐

(2) 남편이 사온 것: ☐☐

7 남편이 선물로 '거울'을 사게 된 원인은 무엇입니까?

중심 내용

한양에 오는 동안 반달이 [ ][ ][ ] 로 변했기 때문입니다.

8 농부의 가족들이 거울을 보고 놀란 이유는 무엇입니까?

추론

① 거울의 가격이 너무 비쌌기 때문에

② 거울에서 사또의 모습이 보였기 때문에

③ 이전에는 거울을 본 적이 없었기 때문에

④ 거울 속의 인물이 너무 아름다웠기 때문에

다음 뜻을 가진 낱말에 ○표 하시오.

1. 한번 알았던 것을 기억해 내지 못하다.

| 잊다 | 잃다 |

2. 일의 마무리에 이르러서.

| 결국 | 다시 |

3. 모든 걱정을 떨쳐 버리고 마음을 편히 가짐.

| 방심 | 안심 |

주장하는 글　문제 **❶**~**❸**

　　손을 깨끗이 씻는 일은 매우 중요합니다. 우리는 매일 손으로 무엇인가를 만지기 때문에 손은 병균에 쉽게 노출됩니다. 특히 여러 사람과 단체생활을 할 경우에는 병균에 훨씬 잘 노출됩니다. 하지만 평소에 손을 깨끗이 씻는다면 다른 사람들로부터 병균이 옮는 것을 예방할 수 있습니다. 손을 씻지 않은 상태에서 눈을 비비거나 음식을 먹게 되면 눈병이나 장염 등에 걸릴 수 있습니다.

　　그래서 우리는 손을 깨끗이 씻어야 합니다. 외출 후에는 가장 먼저 손을 씻어서 집 안으로 병균이 들어오는 것을 막아야 합니다. 손을 씻을 때에는 비누 거품을 충분히 내어서 ☐(ㄱ)☐ 씻어야 합니다. 손에 대충 물을 묻히는 정도로만 씻는 것은 효과가 없습니다. 이것만 지켜도 손을 통해 전염되는 많은 병을 예방할 수 있습니다. 우리 모두 손을 깨끗이 씻읍시다.

❶ **손을 씻지 않고 눈을 비비거나 음식을 먹으면 어떻게 됩니까?**

내용 파악

☐☐ 이나 ☐☐ 등에 걸립니다.

❷ **☐(ㄱ)☐ 에 들어갈 알맞은 말은 무엇입니까?**

어휘

① 대충대충　　② 구석구석　　③ 와글와글　　④ 더듬더듬

❸ **손을 씻을 때에는 어떻게 해야 합니까?**

중심 내용

① 더러워진 부분만 씻는다.

② 비누 거품을 충분히 내어서 씻는다.

③ 물 절약을 위해 하루에 한 번만 씻는다.

④ 손이 더러워질 때까지 기다렸다 씻는다.

　　여러분은 어떤 것이 과일이고, 어떤 것이 채소인지 잘 구분하십니까? 오늘 저는 이 둘을 구분하여 알려 드리겠습니다. 과일은 먹었을 때 주로 물이 많이 나오고, 익었을 때 단맛이 있는 식물의 열매를 말합니다. 또 나무에서 자랍니다. 그래서 보통 밭에서 길러지는 것은 과일이라고 하지 않습니다. 그렇다면 밭에서 자라는 수박은 어떨까요? 참외, 수박, 딸기는 밭에서 자라지만 일반적으로 과일이라고 합니다. 물이 많이 나오고 단맛이 있기 때문인데, 예외적인 경우입니다.

　　반면에 채소는 밭에 심어서 가꾸어 먹는 식물로, 과일에 비해 단맛이 거의 없습니다. 과일은 열매이지만, 채소는 꽃은 물론 잎, 줄기, 열매, 뿌리와 같은 식물의 모든 부분이 해당됩니다. 상추나 배추는 잎줄기채소, 토마토는 열매채소, 당근이나 양파는 뿌리채소입니다. 과일과 채소를 구분할 때는 먼저 어디에서 자라는지와 맛이 어떠한지를 생각하면 됩니다. 물론 예외가 있다는 것도 기억하셔야 합니다.

④ 　**이 글을 쓴 목적은 무엇입니까?**

글의 목적

과일과 채소를 　□□　 하는 방법을 알려주기 위해서입니다.

⑤ 　**채소에 해당하는 것은 무엇입니까?**

내용 적용

①  　②  　③  　④

⑥ 　**과일과 채소를 구분하는 기준 두 가지는 무엇입니까?**

중심 내용

① 먹을 수 있는지

② 어디에서 자라는지

③ 씨가 얼마나 많이 있는지

④ 익었을 때 단맛이 나는지

풍력은 바람으로부터 얻는 힘이다. 바람이 세게 불 때에는 거리의 간판이 쓰러지기도 하고 사람의 몸이 휘청일 수도 있다. 바람은 간판을 쓰러뜨리고 사람을 움직이게 하는 큰 힘을 가진 것이다. 아주 오래 전부터 사람들은 바람이 가진 이런 힘을 알고, 항해를 하거나 풍차를 돌리고 물을 퍼 올리는 데 풍력을 이용했다.

최근에는 전기를 만드는 데 풍력을 이용하기 시작했다. 이렇게 바람으로 전기를 만드는 것을 '풍력 발전'이라고 한다. 풍력 발전은 자연의 바람을 이용하여 풍차를 돌리고, 풍차를 돌리는 힘으로 발전기를 돌려서 전기를 만들어 내는 방법을 사용한다. 풍력을 이용해 전기를 얻기 위해서는 강한 바람이 지속적으로 불어야 한다. 그래서 풍력 발전소는 사막이나 바다와 가까운 지역에 많이 세운다. 사막이나 바다에서 바람이 많이 불기 때문이다.

풍력 에너지는 환경오염 물질을 발생시키지 않는 깨끗한 에너지이다. 그래서 세계 각국에서 그 활용에 큰 관심을 보이고 있다. 화석 연료를 태워서 에너지를 만드는 데는 많은 오염이 뒤따른다. 하지만 풍력은 오염을 일으키지 않기 때문에 앞으로 많이 활용하게 될 것이다.

−살아있는 과학 교과서, 휴머니스트

7

핵심어

이 글에서 설명하고 있는 것은 무엇입니까?

8

중심 내용

풍력 발전은 어떤 과정을 거쳐 전기를 만듭니까?

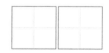 바람 이용 → (1) ▢▢ 를 돌림. → (2) ▢▢▢ 를 돌림. → 전기를 만듦.

9 **추론** 풍력이 앞으로 많이 활용될 것이라고 생각하는 이유는 무엇입니까?

① 환경오염을 일으키지 않기 때문에

② 전기를 많이 생산할 수 있기 때문에

③ 어디에서나 쉽게 만들어낼 수 있기 때문에

④ 전기를 만드는 데 돈이 많이 들지 않기 때문에

어휘력 체크체크

밑줄 친 낱말의 알맞은 뜻을 찾아 ✔표 하시오.

1. 그는 배를 타고 **항해**를 하다 어느 항구에 이르렀다.

① 배를 타고 바다 위를 다님. (　　)

② 비행기로 공중을 날아다님. (　　)

2. 그는 유럽 **각국**을 여행하였다.

① 사람이나 물건의 하나하나. (　　)

② 각 나라. 또는 여러 나라. (　　)

3. 이 지역은 지하수 **오염**이 심각하다.

① 맑고 깨끗함. (　　)

② 더럽게 물듦. (　　)

♣공부한 날: [ ]월 [ ]일 ♣맞은 개수: [ ] / 8문항

안내문 문제 ❶~❷

〈엘리베이터 운행 중단 안내〉

우리 아파트에서는 6개월에 한 번씩 정기적으로 엘리베이터를 점검합니다. 지난 3월에 엘리베이터를 점검한 결과 이상한 점이 없었습니다. 점검 후 6개월이 되는 9월에 또 엘리베이터를 점검하려고 합니다. 주민 여러분께서는 조금 불편하시더라도, 점검 시간에는 계단을 이용해 주시기 바랍니다.

■ 동별 점검 날짜와 시간

동	점검 날짜	점검 시간
101동, 102동	9월 1일(월)	
103동, 104동	9월 2일(화)	오전 10시 ~ 12시
105동, 106동	9월 3일(수)	

새별아파트 관리사무소장

1

내용 파악

104동에 사는 현우는 언제 엘리베이터를 이용할 수 없습니까?

(1) 날짜: [ ] (2) 요일: [ ]

(3) 시간: [ ]

2

중심 내용

새별아파트에서 9월에 엘리베이터 점검을 하는 이유는 무엇입니까?

① 요즘 엘리베이터가 자꾸 고장이 났기 때문에

② 주민들이 계단 이용을 너무 하지 않기 때문에

③ 6개월마다 정기적으로 점검을 해야 하기 때문에

④ 지난 3월의 점검에서 이상이 발견되었기 때문에

　　가공식품은 식품의 원료인 쌀이나 고기, 해산물 등을 먹기 편하게 만들고 더 오래 보관할 수 있게 만든 식품을 말한다. 인스턴트 식품은 가공식품의 한 종류로, 짧은 시간에 손쉽게 조리할 수 있는 식품을 말한다.

　　가공식품의 종류에는 전자레인지에 데우면 바로 먹을 수 있는 밥, 캔에 든 참치나 햄, 비닐에 포장된 두부 등이 있다. 슈퍼나 마트에서 파는 식품 중 요리의 재료로 사용하는 자연 그대로의 채소나 과일, 해산물과 고기 외의 식품은 대부분 가공식품이다.

　　이처럼 먹기 편하고 오래 보관할 수 있는 가공식품이지만 너무 많이 이용하지 않도록 주의해야 한다. 오랫동안 보관하기 위해서 가공식품에는 화학 물질을 넣는 경우가 있는데, 이 화학 물질은 건강에 좋지 않다. 가능하면 가공식품보다는 신선한 재료로 집에서 만든 음식을 먹는 것이 더 좋다.

③ 이 글에 제목을 붙이려고 할 때, ☐ 에 적절한 말은 무엇입니까?

글의 제목

가공식품의 의미와 ☐☐

④ 다음 중에서 가공식품이 <u>아닌</u> 것은 무엇입니까?

내용 적용

①　　　　②　　　　③　　　　④

⑤ 가공식품보다 집에서 만든 음식이 더 좋은 이유는 무엇입니까?

추론

① 가공식품은 오래 보관하기가 힘들어서
② 가공식품에는 화학 물질을 넣는 경우가 있어서
③ 집에서 만든 식품의 색깔이 보기에 더 좋아서
④ 집에서 만든 식품은 짧은 시간에 조리할 수 있어서

상건이와 친구들이 놀이터에 모여 공 멀리 차기를 했어요. 다섯 명이 찼는데 상건이가 꼴찌를 했어요. 상건이는 속상해서 얼굴이 □□□ 달아올랐어요.

"얘들아, 재미있지? 또 하자."

"그래그래."

친구들은 신이 났어요.

"상건아, 네가 먼저 찰래?"

동혁이는 상건이에게 공을 내밀었어요.

"싫어! 안 해!"

상건이는 버럭 화를 내며 공을 뻥 찼어요. 친구들은 깜짝 놀랐어요.

"왜 그래? 꼴찌 해서 화난 거야?"

상건이는 혼자 놀려고 미끄럼틀에 올라갔어요. 친구들의 웃음소리가 미끄럼틀 위까지 크게 들려왔어요.

자꾸 친구들에게 눈길이 갔어요. 이번에는 민재가 꼴찌예요. 있는 힘을 다해 공을 세게 찼는데 신발만 날아갔지 뭐예요.

"우하하, 신발 멀리 차기였다면 내가 1등이야."

민재는 웃으며 말했어요. 다른 친구들도 숨이 넘어가게 웃었어요.

꼴찌를 했다고 놀리거나 속상해하는 친구는 없었어요. 상건이도 배를 잡고 웃었어요. 동혁이가 미끄럼틀 위에서 웃는 상건이를 불렀어요.

"어서 와, 너도 같이 놀자."

"응, 갈게."

상건이는 주르륵 미끄럼틀을 내려가면서 생각했답니다.

"꼴찌도 좋아, 재미있잖아."

－5월에 읽는 이야기 _양지안 외

❻

내용 파악

상건이가 화를 낸 이유는 무엇입니까?

공 멀리 차기에서 □□를 했기 때문입니다.

7 　　　　　　에 들어갈 말로 적절한 색채어는 무엇입니까?

어휘

① 벌겋게　　　　② 퍼렇게　　　　③ 누렇게　　　　④ 허옇게

8 상건이의 화가 풀린 이유는 무엇입니까?

추론

① 미끄럼틀에서 혼자 노는 것이 재미있어서
② 동혁이도 공 멀리 차기를 못하는 것을 보고
③ 꼴찌를 하고서도 웃으면서 즐겁게 노는 민재를 보고
④ 친구들이 상건이의 공 멀리 차기 실력을 인정해 주어서

어휘력 체크체크

다음 뜻을 보고 어떤 낱말인지 [보기]에서 찾아 쓰시오.

| 보기 |
| 꿈　　　버럭　　　신 |

1. 뜻: 어떤 일에 흥미나 열성이 생겨 매우 좋아진 기분.

예 아이는 　　 이 나서 손뼉을 쳤다.

2. 뜻: 성이 나서 갑자기 기를 쓰거나 소리를 냅다 지르는 모양.

예 오빠는 나에게 자신의 물건을 만지지 말라고 　　　 화를 냈다.

안내문　문제 ❶～❸

♤ 주인을 찾습니다 ♤

　여러분! 선생님이 가방을 보관하고 있어요. 아래 내용을 확인한 후, 가방을 잃어버린 학생은 1층 교무실로 오세요.

- 가방의 색깔: 진한 회색
- 가방을 주운 시간: 지난 주 금요일(26일) 저녁 6시
- 가방을 주운 장소: 학교 운동장 놀이터의 그네 뒤쪽
- 가방 속에 있는 물건: 축구화, 양말, 물통 외 몇 가지의 물건

※ 자신의 가방이라고 생각하는 학생은 1층 교무실 박이룸 선생님을 빨리 찾아오세요.

1

글의 목적

이 글을 쓴 목적은 무엇입니까?

가방의 ☐☐ 을 찾기 위해서입니다.

2

내용 파악

가방은 언제 발견되었습니까?

지난 주 ☐☐☐ , 저녁 ☐ 시

3

내용 적용

놀이터에서 축구화가 든 회색 가방을 잃어버린 정수는 어떻게 해야 합니까?

① 새 가방을 사 달라고 부모님께 말씀드린다.

② 1층 교무실에 계시는 박이룸 선생님께 간다.

③ 학교 운동장 그네 뒤쪽으로 가방을 찾으러 간다.

④ 친구들에게 가방에 대해 설명하고 같이 찾는다.

　청개구리는 초록색이다. 그런데 진흙에서는 등의 색이 갈색으로 변한다. 왜 청개구리의 등 색깔이 변하는 것일까? 그 이유는 바로 청개구리가 자신을 보호하기 위해서이다. 주변 환경과 비슷한 색을 띠게 되면 적의 눈에 잘 보이지 않기 때문에, 환경에 따라 몸의 색을 바꾸는 것이다.

　이렇게 적의 눈에 잘 띄지 않도록 자신의 색깔을 주변 환경과 비슷하게 바꾸는 것을 '보호색'이라고 한다. 얼룩말의 줄무늬도 보호색이라 할 수 있다. 얼룩말을 잡아먹는 동물은 치타, 사자, 표범 등인데, 이 동물들은 흰색과 검은색 밖에 보지 못한다. 이 동물들의 눈에는 풀숲도 검은색으로 보이기 때문에, 얼룩말이 풀숲에 있으면 멀리서는 이 둘을 잘 구분할 수 없다.

　바닷속 동물들도 보호색을 가진다. 열대어가 화려한 색깔을 하고 있는 것은 산호초의 색이 화려하기 때문이다. 열대어들은 위험한 상황에서 화려한 산호초 속에 숨는데, 그러려면 자신의 색깔도 화려해야 하기 때문이다.

4

핵심어

이 글에서 가장 중요한 단어는 무엇입니까?

> 청개구리　　　열대어　　　보호색　　　얼룩말

5

내용 파악

자신의 몸 색깔을 주변 환경과 비슷하게 만든 것은?

① 사자　　　② 열대어　　　③ 산호초　　　④ 표범

6

추론

얼룩말이 흰색과 검은색 줄무늬를 가지고 있는 이유는 무엇입니까?

① 적의 눈에 잘 띄게 하기 위해서

② 주변 풀숲의 색깔이 검은색이라서

③ 주변 환경에 따라 몸의 색깔을 바꾸기 위해서

④ 사자나 치타가 흰색과 검은색 밖에 보지 못해서

안녕하세요. 제가 소개할 악기는 바이올린이에요. 저는 바이올린을 3년째 배우고 있는데, 바이올린은 배우기가 참 어려운 악기예요. ⬚ 한번 배우기 시작하면 매력이 엄청난 악기라 꾸준히 연습하고 있어요. 바이올린은 현악기예요. 현악기의 '현'은 '줄'이라는 뜻이에요. 즉, 현악기란 줄이 있는 악기를 말하는 것이지요. 현악기에는 바이올린 말고도 비올라, 첼로 등도 있어요. 우리나라 악기 중에서는 가야금이 현악기랍니다.

바이올린은 현악기 중에서 크기가 가장 작은 악기예요. 바이올린은 크게 몸통과 지판, 턱받침으로 구분할 수 있어요. 몸통은 바이올린에서 가장 큰 부분으로 보통 나무로 만들어요. 지판은 손으로 줄을 짚어 소리를 내는 부분인데 쇠로 된 네 줄이 있어요. 그리고 턱받침은 연주할 때 몸통 위에 턱을 올려놓는 부분으로, 편안한 연주를 위해서 꼭 필요해요.

바이올린은 높은 소리부터 낮은 소리까지 다양한 소리를 표현할 수 있고, 소리가 아름다워서 많은 사랑을 받고 있어요. 그래서 바이올린을 '악기의 여왕'이라고도 부르지요. 바이올린 연주곡 중에는 비발디의 '사계'와 같이 좋은 곡이 참 많으니 여러분도 들어보셨으면 좋겠어요. 그리고 바이올린이 정말로 마음에 든다면 저처럼 배워보는 것도 좋을 것 같아요.

7

중심 내용

어떤 악기를 현악기라고 부릅니까?

⬚ 이 있는 악기

8

접속어

⬚**에 들어갈 말로 적절하지 <u>않은</u> 것은 무엇입니까?**

① 하지만　　　② 그래도　　　③ 그래서　　　④ 그렇지만

9
내용 적용

바이올린에 대해 바르게 설명하고 있는 친구는 누구입니까?

① 영주: 바이올린의 줄은 나무로 만들었어.

② 동영: 몸통은 가장 큰 부분으로 쇠로 만들어요.

③ 선우: 높고 낮은 소리를 다양하게 표현할 수 있어.

④ 연미: 현악기 중 가장 커서 '악기의 여왕'이라고 불러.

어휘력 체크체크

다음 뜻을 가진 낱말에 ○표 하시오.

1. 사람의 마음을 사로잡아 끄는 힘.

능력	매력

2. 한결같이 부지런하고 끈기가 있다.

꾸준하다	중단하다

3. 종류가 여러 가지로 많음.

다양	단일

중요한 낱말을 다시 한번 확인하고 □에 써 보세요.

표면 (겉 表, 낯 面)	사물의 가장 바깥쪽. 예 이 돌은 □□이 무척 매끄러웠다.

증발 (찔 蒸, 쏠 發)	어떤 물질이 액체 상태에서 기체 상태로 변함. 예 물이 강한 햇빛에 서서히 □□하기 시작했다.

연주 (펼 演, 아뢸 奏)	악기를 다루어 곡을 표현하거나 들려주는 일. 예 그의 피아노 □□는 매우 훌륭했다.

예외적 (법식 例, 밖 外, 과녁 的)	일반적으로 정해진 규칙에서 벗어나는 것. 예 여름이 이렇게 서늘한 것은 매우 □□□인 일이다.

활용 (살 活, 쓸 用)	충분히 잘 이용함. 예 방학을 어떻게 □□할 것인지 의논해 보자.

가공식품 (더할 加, 장인 工, 밥 食, 물건 品)	농산물, 축산물, 수산물 따위를 인공적으로 처리하여 만든 음식. 예 □□□□을 먹는 사람들이 늘어나고 있다.

주르륵	물건 따위가 비탈진 곳에서 빠르게 잠깐 미끄러져 내리다가 멎는 모양. 예 원숭이가 나무를 □□□ 타고 내려왔다.

[01~03] 다음의 뜻에 알맞은 낱말을 [보기]에서 찾아 쓰시오.

┌─ 보기 ┐

연주   증발   활용

01 충분히 잘 이용함.

02 어떤 물질이 액체 상태에서 기체 상태로 변함.

03 악기를 다루어 곡을 표현하거나 들려주는 일.

[04~06] 주어진 뜻풀이를 읽고, □ 안에 알맞은 낱말을 넣어 문장을 완성하시오.

04 원숭이가 나무를 [   ] 타고 내려왔다.

*뜻: 물건 따위가 비탈진 곳에서 빠르게 잠깐 미끄러져 내리다가 멎는 모양.

05 여름이 이렇게 서늘한 것은 매우 [   ]인 일이다.

*뜻: 일반적으로 정해진 규칙에서 벗어나는 것.

06 [   ]을 먹는 사람들이 늘어나고 있다.

*뜻: 농산물, 축산물, 수산물 따위를 인공적으로 처리하여 만든 음식.

07 주어진 문장을 읽고, □ 안에 공통으로 들어갈 낱말을 쓰시오.

| 표 면 | ① 지구의 [   ] |
| | ② 이 돌은 [   ]이 무척 매끄러웠다. |

21~25 일차

♣ 공부한 날: 　 월 　 일 　 ♣ 맞은 개수: 　 / 6문항

설명하는 글 　 문제 ①~③

판소리는 재미있는 이야기를 구성진 소리와 북의 장단으로 풀어내는 우리나라 고유의 민속 음악입니다. 판소리는 '판'과 '소리'가 합쳐진 말입니다. 여기에서 '판'은 여러 사람이 모이는 마당을 뜻하고, '소리'는 목소리 또는 노래라는 뜻입니다. 이를

정리하면 판소리는 '여러 사람이 모이는 마당에서 부르는 노래'라고 할 수 있습니다.

판소리 공연은 두 사람이 합니다. 노래를 부르는 소리꾼과 북을 치며 장단을 맞추는 고수가 그 주인공들입니다. '소리꾼'은 구성진 목소리로 노래를 하는데, 노래만 하는 것이 아니라 중간중간에 대사도 하며 이야기를 이끌어 갑니다. 또 이야기의 상황에 맞는 적절한 몸짓으로 공연을 재미있게 만들기도 합니다. '고수'는 북을 쳐서 장단을 맞추는 것이 가장 중요한 역할입니다. 그런데 북을 언제 치느냐에 따라 공연의 흥이 달라지기 때문에 어떤 사람들은 소리꾼보다 고수가 더 중요하다고도 합니다.

그러나 소리꾼도 고수도 공연을 구경하는 관객보다 중요하지는 않습니다. 판소리에서 가장 중요한 사람은 바로 관객인 것입니다. 서양의 공연과 달리, 판소리와 같은 우리의 전통 공연에서는 관객이 공연에 참여하기도 합니다. 관객들은 숨죽여 소리꾼의 소리를 듣기도 하고, 흥겨운 대목에서는 어깨를 들썩이며 공연의 분위기를 함께 만들어 나갑니다. 판소리는 공연자와 관객이 함께 어우러지며 무대를 만들어 나가는 모두의 음악인 것입니다.

1

중심 내용

이 글에서 설명하고 있는 것은 무엇입니까?

□□□ 의 뜻과 판소리에 참여하는 사람입니다.

2

내용 파악

판소리의 공연자는 누구와 누구입니까?

(1) 구성진 목소리로 노래와 대사를 하는 사람: □□□

(2) 북을 치며 장단을 맞추는 사람: □□

3

내용 적용

판소리에서 관객의 역할이 중요한 이유는 무엇입니까?

① 북을 치고 장단을 맞추기 때문에

② 공연의 분위기를 함께 만들어 가기 때문에

③ 판소리 속 등장인물의 대사를 하기 때문에

④ 판소리의 노래 부분을 담당하고 있기 때문에

옛날 옛날 어느 마을에 수다쟁이 부인이 살았어요. 수다쟁이 부인은 너무 말이 많고, 다른 사람들이 한 비밀 이야기를 소문내고 다녀서 사람들을 곤란하게 만들었어요. 그래서 동네 사람들은 수다쟁이 부인을 싫어했고, 아내의 수다를 익히 알고 있는 남편도 걱정이 많았어요.

어느 날 남편은 산에 땔감을 하러 갔어요. 열심히 땔감을 해서 가족들이 먹을 양식을 사야겠다고 생각하며 산을 올라가고 있었어요. 그런데 멀리서 번쩍거리는 것이 보였어요. 이상하게 여긴 남편이 다가가 보니 그것은 바로 금이었어요! 남편은 너무 놀라 ⬚ ㉠ ⬚ 를 찧고 말았어요. 정신을 차린 남편은 생각했어요.

"그동안 열심히 일한 나에게 하늘이 상을 주시나 보다! 아, 그런데 이걸 아내가 알게 되면 분명히 온 동네에 소문을 낼 텐데. 그럼 나쁜 마음을 먹은 사람들이 훔쳐 가 버리지 않을까?"

남편은 수다쟁이 아내가 소문을 낼 것이 걱정되었어요. 그때, 남편의 눈에 도시락이 띄었어요.

"옳지! 이렇게 하면 되겠다!"

남편은 주먹밥을 열매처럼 뭉쳐서 나무에 매달기 시작했어요. 그리고 집으로 가서 부인을 데리고 산으로 왔지요.

"여보! 여기 주먹밥이 열리는 나무가 있소!"

주먹밥이 열리는 나무를 본 아내는 산에서 내려가 동네 사람들에게 이야기했어요. 물론 사람들은 믿지 않았지요. 아내는 주먹밥이 열리는 나무를 보여 주겠다며 동네 사람들을 데리고 산으로 왔는데, 글쎄 열매가 다 없어져 버린 게 아니겠어요? 아내는 거짓말쟁이가 되었지요. 사실은 남편이 그 사이에 다 먹어 치운 것이었어요.

집으로 돌아온 아내에게 남편은 커다란 금덩이를 보여 주었어요. 금덩이를 본 아내는 또 동네 사람들에게 달려가, 자기 집에 커다란 금덩이가 있다고 했어요. 그러나 아무도 아내의 말을 믿어 주지 않았어요. 거짓말쟁이가 된 아내는 속상해서 결국 수다쟁이 버릇을 고쳤어요. 그리고 두 사람은 금덩이를 팔아서 행복하게 살았답니다.

④ **동네 사람들이 수다쟁이 부인을 싫어한 이유는 무엇입니까?**

내용 파악

다른 사람들의 비밀 이야기를 [ ][ ] 내고 다녔기 때문입니다.

⑤ ㉠에 들어갈 말로, '미끄러지거나 넘어지거나 주저앉아서 엉덩이로 바닥을

어휘 쾅 구르는 짓'을 뜻하는 낱말을 네 글자로 쓰시오.

[ ][ ][ ][ ]

⑥ **남편이 주먹밥이 열리는 나무를 만든 이유는 무엇입니까?**

추론
① 아내의 좋은 습관을 더욱 격려하려고
② 금덩이를 도둑맞게 되는 일을 피하려고
③ 동네 사람들이 아내의 말을 믿게 만들려고
④ 아내에게 재미있는 이야기를 만들어 주려고

어휘력 체크체크

밑줄 친 낱말의 알맞은 뜻을 찾아 ✔표 하시오.

1. 소문은 금세 퍼지기 마련이다.

① 거짓이 없이 바르고 참됨. ( )

② 사람들 입에 오르내려 전하여 들리는 말. ( )

2. 그는 창피하면 머리를 긁는 버릇이 있다.

① 사람이 마땅히 지켜야 할 예절과 의리. ( )

② 오랫동안 자꾸 반복하여 몸에 익어 버린 행동. ( )

22 일차

독서 감상문   문제 ❶～❸

어제는 그리스 설화를 모은 책을 읽었습니다. 여러 이야기 중에서도 게으름을 피우다가 농부에게 잡힌 새들의 이야기가 가장 재미있었습니다.

옛날 그리스에 어느 농부가 살았는데, 새들이 자꾸 농작물을 쪼아 먹어서 농부는 화가 많이 났습니다. 농부는 새들을 잡을 그물을 만들려고 그물의 재료가 되는 삼나무를 구하려고 했으나, 삼나무를 구할 수 없었습니다. 그래서 농부는 삼나무 씨앗을 구해서 마당에 심었습니다. 그런데도 새들은 삼나무가 자라려면 아직 시간이 많이 남았다며 태평하게 지냈습니다. 어느덧 시간이 흘러 삼나무가 훌쩍 자랐고, 농부는 그물을 만들어 새들을 모두 잡아 버렸습니다.

나는 이 이야기를 읽고 많이 반성했습니다. 나도 새들처럼 할 일을 미루고, 엄마가 화를 내야 숙제를 시작하기 때문입니다. 앞으로는 할 일을 미루지 말고 빨리 해야겠습니다.

1

내용 파악

내가 읽은 이야기는 어느 나라 설화입니까?

☐☐☐ 설화

2

글의 주제

이 글을 통해 얻을 수 있는 교훈은 무엇입니까?

오늘 할 일을 내일로 ☐☐☐ 말자.

3

중심 내용

새들이 태평하게 지낸 이유는 무엇입니까?

① 농부가 농사를 그만두게 되었기 때문에

② 농부가 새들을 잡는 일을 포기했기 때문에

③ 삼나무로는 그물을 만들지 못한다고 생각했기 때문에

④ 삼나무가 자라려면 시간이 많이 남았다고 생각했기 때문에

동지는 일 년 중에서 낮이 가장 짧고 밤이 가장 긴 날입니다. 우리 민족은 이 날을 동지라고 부르며, 음식을 해 먹고 놀이를 하며 즐겁게 보냈습니다.

동짓날에 해 먹는 특별한 음식은 팥죽입니다. 팥은 붉은색을 띠는데, 예로부터 우리 민족은 붉은색이 나쁜 귀신을 쫓고 사람들을 전염병으로부터 지켜 준다고 믿었습니다. 그래서 동짓날에 팥죽을 해 먹으면 다음 해까지 나쁜 일이 없이 무사히 보낼 수 있다고 생각했습니다. 또 팥죽을 쑤어 이웃과 나누어 먹으면서 서로 간의 정을 느끼기도 했습니다.

동짓날에만 하는 특별히 정해진 놀이는 따로 없습니다. 예전에는 전깃불이 없었기 때문에 저녁밥을 일찍 먹어야 했습니다. 특히 동짓날은 저녁을 일찍 먹고 동네 사람들이 모여 호롱불을 밝히고 윷놀이를 했습니다. 또 어른들은 아이들에게 재미있는 이야기를 들려주기도 했습니다.

④ 동짓날은 어떤 날입니까?

내용 파악

일 년 중 ☐☐ 이 가장 짧고, ☐☐ 이 가장 긴 날입니다.

⑤ 동짓날과 관련 있는 음식은 무엇입니까?

내용 적용

①  ②  ③  ④

⑥ 동짓날에 먹는 음식과 놀이를 통해 우리 민족의 어떤 마음을 알 수 있습니까?

추론

① 나라를 위해 희생하는 용감한 마음

② 가족, 이웃과 따뜻한 정을 나누는 마음

③ 동네의 발전을 위해 열심히 일하려는 마음

④ 남에게 피해를 주지 않고 착하게 살려는 마음

우리는 물이 없으면 살아가지 못한다. 물은 생명을 구성하는 필수 요소이기 때문이다. 우리는 물을 마시지 못하면 생명이 위태롭게 되고, 또 물이 없으면 깨끗하게 씻을 수 없어 병에 걸릴 위험도 높아진다. 물은 우리 몸에 필요한 것 외에도 우리 생활 속 모든 곳에서 중요하게 사용된다. 전기를 만들 때에도, 뜨거워진 기계를 식혀 다시 작동시킬 때에도 물이 사용된다. 이처럼 물은 우리 생활 속 모든 곳에서 반드시 필요하기 때문에, 물이 없으면 우리는 큰 불편함을 느끼게 될 것이다.

그런데 우리는 물이 항상 주위에 있다 보니, 물이 ㉠ 소중하다는 것을 잘 느끼지 못하고 낭비를 하기도 한다. 물을 사용하지도 않으면서 수도를 계속 틀어 놓는다거나, 필요한 양보다 지나치게 많은 물을 쓰기도 한다. 이러한 물 사용 습관으로 우리나라는 세계의 여러 나라들보다도 물 사용량이 훨씬 많은 나라가 되었다. 그리고 몇 년 후면 물이 부족한 나라가 될 것이라고 한다.

따라서 우리는 지금부터라도 물을 절약하는 습관을 길러야 한다. 양치질을 할 때에는 컵을 사용해서 물이 낭비되지 않도록 해야 한다. 세수를 할 때에도 세면대에 물을 받아서 쓰면 많은 양의 물을 아낄 수 있다. 그리고 한 번 사용한 물이라도 재활용을 하는 것이 좋다. 사소한 것 같아 보이지만 날마다 실천을 한다면 많은 양의 물을 아낄 수 있다. 물을 절약하는 것은 어려운 일이 아니다. 우리 모두가 조금만 신경 쓰면 물이 부족한 나라가 되지는 않을 것이다. 나부터, 우리 가족부터 물 절약을 실천하자.

⑦ 글의 주제

이 글에서 주장하는 내용은 무엇입니까?

물을 ☐☐ 하는 습관을 기르자.

⑧ 어휘

㉠의 '소중하다' 대신에 들어갈 수 있는 말은 무엇입니까?

① 우수하다   ② 귀중하다   ③ 희귀하다   ④ 훌륭하다

9 이 글의 내용에 맞으면 ○표, 틀리면 ×표 하시오.

내용 이해

(1) 물이 부족하면 병에 걸릴 가능성이 높아진다.　　（　　）

(2) 물을 이용하여 전기를 만들 수 있다.　　（　　）

(3) 우리나라는 세계에서 물 사용량이 적은 편이다.　　（　　）

10 우리가 물을 아낄 수 있는 방법은 무엇입니까?

내용 파악

① 한번 사용한 물은 바로 버린다.

② 수도꼭지를 틀고 흐르는 물에 세수한다.

③ 양치질을 할 때 물을 컵에 받아서 한다.

④ 필요한 양보다 많은 양의 물을 사용한다.

어휘력 체크체크

다음 뜻을 보고 어떤 낱말인지 [보기]에서 찾아 쓰시오.

보기

|필요|사소한|필수|위대한|

1. 뜻: 꼭 있어야 하거나 하여야 함.

예 외교관이 되고 싶다면 외국어 공부는 　　　　이다.

2. 뜻: 보잘것없이 작거나 적은

예 　　　　　일로 친구와 싸웠다.

설명하는 글　문제 **1**~**3**

　　우리나라의 글자를 한글이라고 합니다. 한글의 옛 이름은 훈민정음인데, 훈민정음을 만든 사람은 세종대왕입니다. 세종대왕이 살았던 시대에는 우리나라에 글자가 없었습니다. 그래서 우리나라 백성들은 중국의 한자를 배워서 써야 했습니다. 하지만 한자는 너무 어려워서 대부분의 사람들이 배울 수가 없었습니다. 글자를 모르면 책을 읽을 수도 없고, 자신의 생각을 글로 표현할 수도 없습니다. 세종대왕은 이런 백성들이 안타까워 직접 글자를 만들어 발표하였습니다. 그래서 훈민정음은 세계에서 유일하게 만든 사람과 만든 날짜가 알려진 글자가 되었습니다.

　　게다가 훈민정음은 만든 방법이 매우 과학적이어서 누구라도 쉽게 배울 수 있는 글자입니다. ㄱ, ㄴ, ㄷ, ㅏ, ㅑ 등의 스물여덟 글자만 있으면, 이것들을 조합해서 어떤 글자라도 만들어 낼 수 있습니다. 또 이렇게 만들어 낸 글자로 세상의 모든 소리를 표현할 수도 있습니다. 어려운 한자를 배울 수 없었던 백성들은 쉽게 배울 수 있는 훈민정음을 통해 글을 읽고 쓰는 기쁨을 누릴 수 있게 되었습니다.

　　이처럼 훈민정음은 다른 나라의 힘을 빌리지 않고 우리 스스로 만들어낸 글자이며, 과학적으로 만들어져 쉽게 배울 수 있는 훌륭한 글자입니다. 글자를 만드는 것은 매우 힘들고 어려운 일이지만 세종대왕은 백성을 사랑하는 마음으로 이 일을 해냈습니다. 우리는 세종대왕의 훌륭한 업적을 기리고 위대한 한글의 탄생을 축하하기 위해 매년 10월 9일을 한글날로 정해 기념하고 있습니다.

1

핵심어

우리나라 글자의 현재 이름과, 옛 이름은 각각 무엇입니까?

(1) 현재 이름: ☐☐

(2) 옛 이름: ☐☐☐☐

2

중심 내용

우리나라 글자의 특징을 바르게 말한 사람은 누구입니까?

①

만든 사람은 알 수 있지만 언제 만들었는지는 몰라.

②

과학적이어서 누구라도 쉽게 배울 수 있어.

③

중국의 도움을 받아 만든 글자야.

3

추론

세종대왕이 글자를 만든 이유는 무엇입니까?

① 글을 읽지 못하는 백성들이 안타까워서

② 우리나라의 글자를 중국에 전해 주고 싶어서

③ 백성들이 한자를 쉽게 배울 수 있게 해 주려고

④ 백성들이 세종대왕에게 글자를 만들어 달라고 요청해서

옛날 어느 산골에 노래를 잘하는 한 영감님이 살고 있었어요. 영감님의 턱에는 커다란 혹이 달려 있어서, 사람들은 영감님을 혹부리 영감님이라고 불렀지요. 어느 날 영감님은 땔감을 하러 산 속 깊이 들어갔는데, 날이 저물어 그만 길을 잃고 말았어요. 그런데 갑자기 도깨비들이 나타났어요. 도깨비들은 영감님 둘레를 에워싸고 방망이로 장단을 맞추며 노래를 부르고 춤을 추었어요.

혹부리 영감님은 너무 무서웠지만, 춤을 추는 도깨비들을 보니 점점 흥이 나기 시작했어요. 그래서 혹부리 영감님도 춤을 추며 노래를 부르기 시작했지요. 도깨비들은 깜짝 놀랐어요. 혹부리 영감님의 노래가 너무 재미있고 즐거웠기 때문이에요.

"영감님, 이렇게 좋은 노래는 어디서 나오는 겁니까?"

도깨비가 이렇게 묻자 영감님은 당황해서 혹을 만졌어요. 그걸 본 도깨비는 노래가 혹에서 나온다고 생각하게 되었지요.

"혹에서 노래가 나오는 것이군요! 우리에게 그 혹을 파시지요."

"아니, 노래는 혹에서 나오는 것이 아니고 그냥 신이 나면 나오는 것이라오."

혹부리 영감님은 아니라고 하였지만, 도깨비들은 노래가 혹에서 나온다고 굳게 믿었어요. 그러면서 보물을 한가득 주었어요. 그리고 두목 도깨비가 방망이를 혹에 갖다 대자, 혹이 뚝 하고 떨어졌답니다.

혹부리 영감님이 혹도 떼고 부자가 되었다는 소식이 이웃 마을에까지 퍼지자, 이웃 마을에 살던 또 다른 혹부리 영감님은 생각했어요.

'나도 건너 마을 영감처럼 혹도 떼고 보물도 얻어와야지.'

일부러 산 속 도깨비 마을을 찾아간 또 다른 혹부리 영감님은 노래를 부르고 춤을 추는 도깨비들을 발견했어요. 그리고 무리에 들어가 함께 노래를 불렀지요. 하지만 영감님의 노래는 재미가 없었고 지루하기만 해서 도깨비들은 이상하게 생각했어요.

"이 영감님은 보물을 얻으려고 우리에게 온 것이구나! 욕심쟁이 영감님 같으니라구! 지난 번 혹까지 가져가 버려라!"

도깨비가 방망이를 갖다 대자, 영감님의 턱에는 혹이 하나 더 생겼어요. 보물을 얻으려고 욕심을 부리던 영감님은 혹을 두 개나 매단 채 집으로 돌아왔답니다.

④ **핵심어**

도깨비들은 혹부리 영감님의 노래가 어디에서 나온다고 생각했습니까?

⑤ **일의 순서**

혹부리 영감님이 겪은 일을 먼저 일어난 순서대로 번호를 쓰시오.

㈀ 도깨비와 흥겹게 춤을 추었다.   (   )

㈁ 땔감을 하다가 길을 잃었다.   (   )

㈂ 도깨비가 혹을 떼어 갔다.   (   )

㈃ 부자가 되었고 소식이 마을에 퍼졌다.   (   )

⑥ **추론**

도깨비들이 또 다른 혹부리 영감님에게 혹을 붙여 버린 이유는 무엇입니까?

① 영감님의 춤이 신나지 않았기 때문에

② 영감님의 보물을 얻으려는 욕심을 눈치챘기 때문에

③ 영감님이 혹을 달고 노래를 잘하게 되길 바랐기 때문에

④ 영감님의 노래에 감명을 받아 선물을 주고 싶었기 때문에

어휘력 체크체크

다음 뜻을 가진 낱말에 ○표 하시오.

1. 춤, 노래 따위의 빠르기나 가락을 이끄는 박자.

장구	장단

2. 사물의 테두리나 바깥 언저리.

둘레	중심

3. 여럿이 함께 모여 있는 떼.

무리	단독

♣ 공부한 날: ☐ 월 ☐ 일 ♣ 맞은 개수: ☐ / 10문항

대화   문제 ❶～❸

나율: 엄마, 저는 아픈 사람을 낫게 해 주는 의사 선생님이 되고 싶어요.

엄마: 그래, 나율이에게 꿈이 생겼구나. 그런데 왜 의사 선생님이 되고 싶니?

나율: 얼마 전에 배가 아파서 병원에 갔었잖아요. 의사 선생님이 치료해 주신 다음에 배가 나아서 신기했어요.

엄마: 그렇지. 의사 선생님은 아픈 사람들을 낫게 해 주시지!

나율: 그리고 저번에 삼촌이 수술을 받으셨을 때 의사 선생님들이 가장 멋있다고 생각했어요. 마취를 하고 수술을 하는 일은 정말 어려울 것 같은데, 그런 일을 해 내는 의사 선생님들이 정말 멋있었어요.

엄마: 나율이는 좋은 의사 선생님이 될 수 있을 것 같구나.

나율: 엄마, 그런데 의사 선생님이 되려면 어떻게 해요?

엄마: 글쎄, 어떻게 하면 될까! 우리 서점에 가서 책을 찾아볼까?

나율: 좋아요. 그럼 지금 서점에 가요.

1 나율이가 의사 선생님이 되고 싶은 이유는 무엇입니까?

중심 내용

 을 낫게 해 주기 때문입니다.

2 나율이는 의사 선생님의 어떤 모습이 가장 멋있다고 생각했습니까?

내용 파악

☐☐ 하는 모습

3 나율이와 엄마는 서점에 가서 어떤 책을 찾아볼 예정입니까?

추론

① 입원 절차를 자세하게 설명한 책

② 갑자기 아플 때 필요한 응급 처방 책

③ 의사 선생님이 되는 방법을 알려 주는 책

④ 병원에 입원했던 사람의 경험을 담은 책

우리가 버려지는 음식물을 줄이는 방법에는 어떤 것이 있을까요? 먼저, 가정에서는 음식을 할 때에 적당한 양만 요리하는 것입니다. 너무 많은 양을 하면 남을 가능성이 많습니다. 따라서 가정에서는 가족이 먹을 만큼의 적당한 양만 준비하는 것이 좋습니다. 식당에서는 처음부터 반찬을 너무 많이 주지 말고, 더 먹을 사람에게만 ☐(ㄱ) 하여 주면 됩니다.

다음으로는 먹고 남은 음식물을 자원으로 ☐(ㄴ) 하는 것입니다. 지금도 먹고 남은 음식물을 사료나 퇴비로 다시 만들어 쓰고는 있습니다. 그러나 이쑤시개나 이물질들이 섞여 있어 재활용하지 못하고 버려지는 음식물이 많습니다. 따라서 남은 음식물 속에 이물질들을 섞어 버리지 않는 것도 중요한 일입니다. 버려지는 음식물을 줄이는 일에 우리 모두가 지혜를 모아야 할 때입니다.

❹ 이 글에서 주장하는 것은 무엇입니까?

글의 주제

버려지는 ☐☐☐ 을 줄이자.

❺ ☐(ㄱ) 과 ☐(ㄴ) 에 들어갈 적절한 낱말을 연결하시오.

어휘

(ㄱ) •   • 재활용

(ㄴ) •   • 추가

❻ 글쓴이가 제시한 버려지는 음식물을 줄이는 방법 두 가지는 무엇입니까?

추론

① 음식을 먹을 만큼만 적당히 만들자.

② 식당에서는 손님에게 반찬을 넉넉하게 주자.

③ 먹고 남은 음식물을 자원으로 다시 만들어 쓰자.

④ 식당에서 반찬이 나오면 남기지 말고 모두 다 먹자.

지도는 땅 위의 여러 사실이나 현상을 그린 그림입니다. 그런데 땅 위에 있는 것들을 모두 그린다고 지도가 되는 것은 아닙니다. 지도는 보이는 것을 자유롭게 그리는 풍경화와는 다르기 때문입니다. 풍경화는 아름다움을 잘 표현하는 것이 중요하므로 반드시 정확하게 그릴 필요는 없습니다. 하지만 지도는 여러 가지 정보를 알려 주는 것이 중요하기 때문에 정해진 약속을 지켜서 정확하게 그려야 합니다. 그래야 다른 사람들이 지도를 보고 쉽게 이해할 수 있습니다.

지도의 [   ]는 아주 다양합니다. 일반적으로 지도는 여행을 할 때나 길을 찾아갈 때만 필요한 것 같지만 지도가 필요한 경우는 그 외에도 많습니다. 지하철을 탈 때에도, 기후 공부를 할 때에도 필요합니다. 그래서 지도의 종류도 그 [   ]만큼이나 다양합니다. 지도의 종류는 크게 일반도와 주제도로 나눌 수 있습니다.

일반도는 여러 사람이 다양한 목적으로 이용할 수 있도록 많은 지리 정보를 정확하고 자세하게 그려 놓은 지도를 말합니다. 보통 우리가 생각하는 지도가 바로 일반도입니다. 여기에는 마을, 도로, 건물, 논, 밭, 학교 등 여러 가지 것들이 그려져 있습니다.

주제도는 목적에 맞게 특별한 주제만을 중심으로 그린 지도입니다. 버스나 지하철을 탈 때 이동하는 길을 알려 주는 노선도가 그 예입니다. 노선도는 버스나 지하철의 노선과 정류장을 알려 주기 위한 특별한 목적을 위해 만든 지도입니다. 또한 특정한 식물이 사는 곳을 표시하기 위한 식물 분포도나, 지도 위에 날씨를 표현하여 지역에 따른 날씨를 알려 주는 날씨도도 주제도에 속합니다. 이처럼 지도는 우리 생활 가까이에서 언제나 우리와 함께하고 있습니다.

⑦ 중심 내용 **지도와 풍경화의 차이점은 무엇입니까?**

(1) **지도**: 여러 가지 [   ] 를 알려줍니다.

(2) **풍경화**: [   ] 을 잘 표현하는 것이 중요합니다.

8 이 글의 내용에 맞으면 ○표, 틀리면 ×표 하시오.

내용 파악

(1) 땅 위에 있는 것을 모두 그린 것이 지도이다. (　　)

(2) 지도는 여행을 할 때나 길을 찾아갈 때만 필요하다. (　　)

(3) 지도는 우리 생활 가까이에서 자주 이용된다. (　　)

9 '쓰이는 용도나 정도.'라는 뜻으로, ☐에 공통적으로 들어갈 수 있는 낱말

어휘 은 무엇입니까?

① 쓰임새　　　　② 걸음새　　　　③ 매무새　　　　④ 모양새

10 주제도가 아닌 것은 무엇입니까?

내용 파악

① 지역에 따른 날씨를 알려 주는 날씨도

② 많은 지리 정보를 정확하고 자세하게 그린 일반도

③ 특정한 식물이 사는 곳을 표시하기 위한 식물 분포도

④ 버스나 지하철을 탈 때 이동하는 길을 알려 주는 노선도

어휘력 체크체크

다음 뜻을 가진 낱말에 ○표 하시오.

1. 사물이나 어떤 상황에 대한 새로운 소식이나 자료.

| 소문 | 정보 |

2. 특별히 지정함.

| 특정 | 보통 |

　털은 우리 몸의 거의 모든 피부에 나 있어요. 머리카락이나 눈썹처럼 눈에 잘 보이는 털도 있지만, 손등이나 팔에 난 털처럼 눈에 잘 보이지 않는 얇은 털도 있지요. 심지어 귓바퀴에도 털이 있는 것을 알고 있습니까? 귓바퀴나 뺨은 털이 아예 없는 것처럼 보이지만, 사실은 솜털이라고 불리는 하얗고 아주 작은 털이 있답니다. 이처럼 털은 우리 몸 곳곳에 있어요.

　털은 우리 몸 어디에 나 있느냐에 따라 하는 일이 조금씩 달라요. 대표적인 털로 머리카락을 들 수 있는데, 머리카락은 머리의 피부를 보호하는 역할을 해요. 뜨거운 태양으로부터 연약한 머리의 피부를 보호하고, 중요한 뇌가 들어 있는 머리가 충격을 받게 되면 충격을 흡수해서 뇌를 보호하기도 하지요. 하지만 머리카락이 몸을 보호하는 역할만 하는 것은 아니에요. 여러분은 머리카락을 자르거나 손질하면서 아름답게 보이려고 한 적이 있지 않습니까? 이렇듯 머리카락은 외모를 아름답게 하는 미용의 기능도 있답니다.

　눈썹과 속눈썹은 눈 주변에 있는 털로 눈을 보호해 주는 역할을 해요. 먼지나 나쁜 물질이 눈 안으로 들어오려고 하면 먼저 눈썹과 속눈썹이 눈의 앞에서 이러한 것들을 막아 주지요. 특히 눈썹은 이마로부터 흘러내리는 땀이 직접 눈에 들어가지 못하도록 막아 주는 역할을 한답니다. 코나 귓속에도 털이 있는 것 알고 있지요? 코나 귀 안의 털은 먼지가 속으로 들어가지 못하도록 걸러 주는 역할을 해요. 그렇게 걸러진 먼지들은 코딱지나 귀지가 되지요. 이처럼 털은 우리의 몸을 보호하고, 먼지를 막아 주는 고마운 존재랍니다.

1 이 글에서 설명하고 있는 것은 무엇입니까?

중심 내용

우리 몸에서 털이 난 곳과 털이 하는 ☐☐

2 코딱지나 귀지는 왜 생깁니까?

내용 파악

코와 귀 안의 털이 ☐☐ 를 걸러주기 때문에 생깁니다.

3 머리카락과 관련이 <u>없는</u> 내용은 무엇입니까?

내용 파악

① 머리가 충격을 받으면 충격을 흡수한다.

② 외모를 아름답게 보이도록 만들어 준다.

③ 땀이 눈에 직접 들어가지 않도록 막아 준다.

④ 태양으로부터 연약한 머리 피부를 보호한다.

옛날 옛적 어느 마을에 여우와 두루미가 살았어요. 여우와 두루미는 이웃에 살고 있었는데, 여우는 항상 두루미를 시기하여 골탕 먹일 기회만 　　　　. 왜냐하면 두루미는 똑똑해서 마을의 동물들에게 인기가 많았기 때문이에요. 어느 날 여우는 두루미를 저녁 식사에 초대했어요.

"여우님, 저녁 식사에 초대해 주셔서 고마워요."

두루미가 말했어요. 여우는 두루미를 골탕 먹일 생각에 웃음이 났지만, 웃음을 감추고 두루미에게 말했어요.

"별말씀을요. 맛있게 많이 드세요."

그런데 식탁에 앉은 두루미는 당황했어요. 수프가 납작한 접시에 담겨 있었기 때문이에요. 두루미는 부리가 길어서, 접시에 있는 수프는 먹을 수가 없었거든요. 결국 두루미는 수프를 먹지 못하고 여우의 집을 나서야 했어요. 그리고 친구에게서 사실은 여우가 일부러 접시에 음식을 대접했다는 이야기를 전해 듣고 화가 났어요.

'감히 여우 네가 나를 골탕 먹이려고 했겠다? 나도 가만 있지 않겠어.'

이번에는 두루미가 여우를 저녁 식사에 초대했어요. 여우는 아무 생각 없이 즐겁게 초대에 응했어요.

"어서 오세요. 맛있는 고기를 준비했답니다."

여우는 맛있는 고기를 먹을 생각에 설렜어요. 그런데 고기가 기다란 호리병에 담겨 나오는 게 아니겠어요? 부리가 긴 두루미는 병에 부리를 넣어 고기를 냠냠 맛있게 먹었지만, 여우는 어떻게 먹어야 할지 난감했어요. 병을 거꾸로 들어 보았지만, 고기는 병의 좁다란 입구에 막혀 나오지 않았어요. 한참을 호리병과 씨름하던 여우는 끝내 아무것도 먹지 못한 채 집으로 돌아갔답니다.

4 여우와 두루미는 각각 어떤 그릇에 음식을 대접했습니까?

내용 파악

(1) 여우가 두루미에게: 납작한 ⬜⬜

(2) 두루미가 여우에게: 기다란 ⬜⬜⬜

5 이 글의 내용에 맞게 일이 일어난 순서대로 번호를 쓰시오.

일의 순서

(ㄱ) 두루미가 친구에게서 여우의 속마음을 들었다. ( )

(ㄴ) 여우가 두루미를 초대하여 수프를 대접했다. ( )

(ㄷ) 여우는 초대받은 저녁 식사에서 아무것도 먹지 못했다. ( )

6 [ ]에 들어갈 말로, '무엇을 이루고자 온 마음을 쏟아서 눈여겨보다.'라는

어휘 뜻을 가진 낱말을 바르게 쓴 것에 동그라미 하시오.

옅보았어요   엿보았어요

7 이 글을 통해 얻을 수 있는 교훈은 무엇입니까?

글의 주제

① 한번 뱉은 말은 되돌릴 수 없다.

② 약속을 하면 반드시 지켜야 한다.

③ 꿈을 이루기 위해서는 열심히 노력해야 한다.

④ 나쁜 행동을 하면 그대로 자기에게 돌아온다.

어휘력 체크체크

다음 뜻을 보고 어떤 낱말인지 [보기]에서 찾아 쓰시오.

┌─ 보기 ─┐
골탕   난감   시기

1. 뜻: 남이 잘되는 것을 샘하여 미워함.

예 반 아이들은 그 아이의 뛰어난 재능을 [ ][ ]했다.

2. 뜻: 한꺼번에 되게 당하는 손해나 곤란.

예 그는 개구쟁이 동생에게 늘 [ ][ ]을 먹었다.

중요한 낱말을 다시 한번 확인하고 □에 써 보세요.

땔감

불을 때는 데 쓰는 재료.

예 이 나무는 □□으로 쓰인다.

태평
(클 太, 평평할 平)

마음에 아무 근심 걱정이 없음.

예 그는 시험이 내일인데 □□하게 낮잠을 잔다.

호롱불

호롱에 켠 불.   *호롱: 석유를 담아 불을 켜는 데에 쓰는 그릇.

예 옛날에는 전깃불 대신 □□□을 사용했다.

유일
(오직 唯, 한 一)

오직 하나밖에 없음.

예 그 집은 우리 동네에서 □□한 기와집이었다.

업적
(일 業, 실 낳을 績)

어떤 일이나 연구에서 세운 성과.

예 훌륭한 □□을 이룬 그에게 공로상을 주었다.

이물질
(다를 異, 물건 物,
바탕 質)

정상적이 아닌 다른 물질.

예 갑자기 바람이 불어 눈에 □□□이 들어갔다.

역할
(부릴 役, 나눌 割)

자기가 마땅히 하여야 할 맡은 바 직책이나 임무.

예 각자 맡은 바 □□을 다해야 한다.

[01~03] 다음의 뜻에 알맞은 낱말을 [보기]에서 찾아 쓰시오.

> 보기

| 호롱불 | 땔감 | 이물질 | 전기 |

01 정상적이 아닌 다른 물질.

02 불을 때는 데 쓰는 재료.

03 호롱에 켠 불.

[04~06] 주어진 뜻풀이를 읽고, □ 안에 알맞은 낱말을 넣어 문장을 완성하시오.

04 그는 시험이 내일인데 ☐☐하게 낮잠을 잔다.

*뜻: 마음에 아무 근심 걱정이 없음.

05 각자 맡은 바 ☐☐을 다해야 한다.

*뜻: 자기가 마땅히 하여야 할 맡은 바 직책이나 임무.

06 그 집은 우리 동네에서 ☐☐한 기와집이었다.

*뜻: 오직 하나밖에 없음.

07 주어진 문장을 읽고, □ 안에 공통으로 들어갈 낱말을 쓰시오.

| ㅇ ㅈ | ① 훌륭한 ☐☐을 이룬 그에게 공로상을 주었다. |
| | ② 훈민정음은 세종대왕의 가장 위대한 ☐☐으로 꼽힌다. |

미래를 생각하는
(주)이룸이앤비

이룸이앤비는 항상 꿈을 갖고 무한한 가능성에 도전하는 수험생 여러분과 함께 할 것을 약속드립니다.
수험생 여러분의 미래를 생각하는 이룸이앤비는 항상 새롭고 특별합니다.

내신·수능 1등급으로 가는 길
이룸이앤비가 함께합니다.

이룸이앤비   🔍

인터넷 서비스

이룸이앤비의 모든 교재에 대한 자세한 정보
각 교재에 필요한 듣기 MP3 파일
교재 관련 내용 문의 및 오류에 대한 수정 파일

라이트수학

숨마쿰라우데®

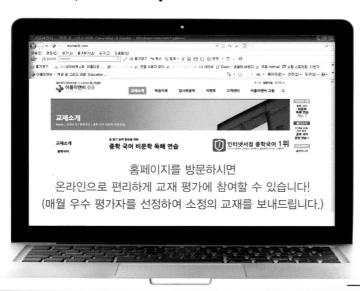

홈페이지를 방문하시면
온라인으로 편리하게 교재 평가에 참여할 수 있습니다!
(매월 우수 평가자를 선정하여 소정의 교재를 보내드립니다.)

STARTUP

굿비 좋은 시작, 좋은 기초

글 읽기 능력이 향상되면
모든 공부의 **차신감**도 **향상**됩니다.

신간

다양한 글들을
쉽고 재미있게
공부하다 보면
독해왕이 됩니다!!!

숨마어린이
초등국어 **독해왕** 시리즈
1단계/2단계/3단계/4단계/5단계/6단계 (전 6권)

숨마 어린이®

글 읽기 능력 향상을 위한

초등국어 독해왕

글 읽기가 재미있다는 것을 자연스럽게 알게 됩니다.

문학(동화, 동시, 기행문, 전기문 등),
비문학(설명문, 논설문, 실용문, 소개문, 안내문, 편지 등)을
초등학생의 수준에 따라 엄선하여 수록!

2 단계

정답 및 해설

상세한 지문 분석 및 문제 해설

▶ 학생에게는 **자기 주도 학습**을 위한 가이드가
▶ 선생님들에게는 수업을 위한 **지도 자료로 활용**될 수 있습니다.

글 읽기 능력 향상을 위한

초등국어 **독해왕**

2 단계

정답 및 해설

이룸이앤비
Education & Books

01일차

1 편지글	2 (1) 할머니, (2) 사촌 형	3 ②
4 종이	5 (1)—ⓛ, (2)—㉠	6 ③
7 걱정거리	8 응, 그래서?	9 ④

1 **◎ 정답 풀이** 민재는 '보고 싶은 할머니께'라고 받을 사람을 밝히고, '손자 민재 올림'이라고 보낸 사람을 밝힌 편지글을 썼어요. **정답** **편지글**

2 **◎ 정답 풀이** 민재는 '겨울 방학 때는 할머니 댁에서 사촌 형들과 재미있게 놀았는데, 오늘은 개학을 해서 학교에서 친구들과 놀았어요.'라고 했어요.
정답 (1) **할머니**, (2) **사촌 형**

3 **◎ 정답 풀이** 민재는 '새 학기가 시작되었으니 할머니께서 말씀하신 것처럼 열심히 공부할게요.'라고 했고, 마지막 문장에서 '특히 국어 공부를 열심히 할 거예요.'라고 했어요. 따라서 민재는 새 학기를 맞이하여 국어 공부를 열심히 할 것이라고 다짐한 것을 알 수 있어요. **정답** ②

4 **◎ 정답 풀이** 이 글은 종이가 발명되기까지의 역사와, 종이를 만드는 방법에 대해 설명한 글이에요.
정답 **종이**

5 **◎ 정답 풀이** 1문단의 다섯 번째 문장에서 '이집트에서는 파피루스라는 식물의 줄기를 얇게 벗겨 가로세로로 겹쳐 놓고 무거운 것으로 눌러서 그 위에 글씨를 썼습니다.'라고 했어요. 여섯 번째 문장에서 '그리스에서는 소나 양의 가죽에 글씨를 쓰기도 했습니다.'라고 했어요. **정답** (1)—ⓛ, (2)—㉠

6 **◎ 정답 풀이** 2문단의 첫 번째 문장에서, '지금으로부터 약 2,000년 전 중국에서 종이를 발명했습니다.'라고 했어요. 따라서 종이를 발명한 시기와 나라는 약 2,000년 전의 중국이에요. **정답** ③

7 **◎ 정답 풀이** '고민'은 '마음속으로 괴로워하고 애를

태움.'이라는 뜻이에요. 이것과 비슷한 낱말로는 '걱정거리'가 있어요. 시의 3행에 있지요? '걱정거리'는 '안심이 되지 않아 속을 태우게 하는 일'이라는 뜻이에요. '고민'과 비슷한 뜻이지요.
정답 **걱정거리**

8 **◎ 정답 풀이** 시의 중간 부분에서 지훈이가 '응, 그래서?'라는 말을 연속 두 번 하고 있어요. 그러므로 지훈이는 '응, 그래서?'라는 말을 반복하며 친구들의 이야기를 듣고 있어요. **정답** 응, 그래서?

9 **◎ 정답 풀이** 시의 마지막 부분에서 '끝까지 기다리며 / 얘기 들어주는 것이 / 지훈이가 고민을 / 척척 해결하는 방법이래요.'라고 했어요. 지훈이는 친구들의 말을 끊지 않고, 끝까지 기다리며 들어주고 있어요.
정답 ④

어휘력 체크체크 1. **말허리** 2. **결론** 3. **척척**

1 소개	**2** (1) 건너편, (2) 작다	**3** ②
4 독서 감상문	**5** 아버지	**6** ④
7 정보	**8** 계절 변화	**9** ⓒ
		10 ②, ③

1 ◉ 정답 풀이 이 글은 보물 문구점의 위치와 파는 물건, 문구점 아저씨의 성격, 태도 등을 다른 사람들에게 소개하는 글이에요. 정답 **소개**

2 ◉ 정답 풀이 첫 번째 문장에서 '보물 문구점'은 우리 학교 정문 건너편에 있다고 하였고, 두 번째 문장에서 보물 문구점은 종합 문구점보다 훨씬 작다고 했어요. 정답 (1) **건너편**, (2) **작다**

3 ◉ 정답 풀이 보물 문구점에는 수업 시간에 필요한 준비물도 있고 색연필도 살 수 있어요. 또 내가 좋아하는 예쁜 편지지들도 많지요. 이것들도 내가 보물 문구점을 좋아하는 이유이지만, 가장 큰 이유는 아니에요. 다섯 번째 문장에서 '가장 좋은 점은 문구점 아저씨가 친절하시다는 것입니다.'라고 했어요. 정답 ②

4 ◉ 정답 풀이 이 글은 『파브르 곤충기』라는 책을 읽고 느낀 점을 쓴 독서 감상문이에요. 정답 **독서 감상문**

알아두면 도움이 돼요!

"독서 감상문"이란?

책을 읽고 나서, 책을 통해 알게 된 사실이나 자신의 느낌과 생각을 적은 글을 독서 감상문 또는 독후감이라고 해요. 독서 감상문에 정해진 형식이 있는 것은 아니에요. 그러나 다음의 순서로 쓰는 것이 좋아요.
• 첫 부분: 책을 읽게 된 이유
• 중간 부분: 책의 전체적인 내용
• 끝 부분: 책을 읽고 난 후의 생각과 느낀 점

5 ◉ 정답 풀이 1문단의 첫 부분에서, 『파브르 곤충기』는 곤충을 좋아하는 나를 보고 아버지께서 추천해 주신 책이라고 했어요. 정답 **아버지**

6 ◉ 정답 풀이 2문단의 마지막 부분에서, 나는 '어려운 환경에도 불구하고 곤충 연구를 계속한 파브르가 정말 멋있다고 생각했습니다. 나도 파브르의 끈기 있는 모습을 닮아야겠습니다.'라고 했어요. 따라서 어려운 환경에서도 곤충 연구를 계속한 파브르의 끈기 있는 모습을 닮아야겠다고 생각한 것이지요. 정답 ④

7 ◉ 정답 풀이 이 글은 나이테가 생기는 이유, 나이테를 보고 알 수 있는 것 등 나이테에 대한 여러 가지 정보를 알려 주고 있어요. 정답 **정보**

8 ◉ 정답 풀이 2문단의 다섯 번째 문장에서 '우리나라처럼 계절 변화가 뚜렷한 곳에서는 일 년에 하나씩 고리 모양의 나이테가 생깁니다.'라고 했어요. 따라서 나이테가 생기기 위해서는 계절 변화가 뚜렷해야 한다는 것을 알 수 있어요. 정답 **계절 변화**

9 ◉ 정답 풀이 3문단의 네 번째 문장에서 '유난히 나이테의 폭이 좁을 때는 그 해에 가뭄이 심하게 들었다는 것을 추측할 수 있습니다.'라고 했어요. 따라서 나이테의 폭이 가장 좁은 부분을 찾아야 해요. 정답 ⓒ

10 ◉ 정답 풀이 2문단의 마지막 문장에서 '나이테의 수를 세어 보면 나무의 나이를 짐작할 수 있습니다.'라고 했어요. 3문단의 마지막 문장에서는 '나무의 나이테를 관찰하면 옛날의 날씨를 짐작할 수도 있습니다.'라고 했어요. 따라서 나이테를 보고 알 수 있는 것은 '나무의 나이'와 '옛날의 날씨'예요. 정답 ②, ③

 어휘력 체크체크 **1.** 짐작 **2.** 가뭄

1 일기   **2** 4   **3** ①   **4** (1)-㉠,
(2)-㉢, (3)-㉡   **5** ②   **6** 찻숟갈
7 보얗고 쬐그만 귀연   **8** ①

1 (정답 풀이) 일기는 하루에 있었던 일 중 가장 중요하거나 기억에 남는 일을 쓰는 글이에요. 나는 오늘 저녁에 엄마를 따라 저녁 약속에 갔던 일을 일기로 썼어요. (정답) **일기**

2 (정답 풀이) 나는 엄마가 엄마의 친구를 만나는 약속 장소에 같이 나갔어요. 그런데 그 자리에는 엄마 친구의 딸도 함께 있었어요. 따라서 저녁 약속에 참여한 사람은 나와 엄마, 엄마 친구와 엄마 친구의 딸이에요. (정답) **4**

3 (정답 풀이) 엄마와 엄마의 친구가 이야기를 나누는 동안 나도 엄마 친구의 딸과 이야기를 나누었어요. 다섯 번째 문장에서 '요즘 본 애니메이션에 대해 이야기하면서 많이 친해졌다.'라고 하며, 나와 엄마 친구의 딸이 어떻게 친해졌는지 알려 주고 있어요. (정답) **①**

4 (정답 풀이) 2문단의 두 번째 문장에서 카카오나무의 열매 속에 들어 있는 씨앗을 카카오 콩이라고 부른다고 하였어요. 그리고 2문단의 세 번째, 네 번째 문장에서 코코아는 카카오 콩을 갈아서 만든 가루나, 가루를 물이나 우유에 타서 만드는 초콜릿 맛 음료를 가리키는 말이라고 했어요. 그리고 굳은 형태의 것은 초콜릿이라고 한다고 했어요. (정답) **(1)-㉠, (2)-㉢, (3)-㉡**

5 (정답 풀이) 1문단의 마지막 문장에서 '저는 초콜릿에 관한 책을 찾아 이것들의 차이점을 조사했습니다.'라고 하였어요. 따라서 글쓴이는 궁금한 점을 해결하기 위해 책을 찾아 조사했다는 것을 알 수 있어요. (정답) **②**

6 (정답 풀이) 이 시는 '찻숟갈'을 소재로 아버지께서 내게 하신 말씀을 쓴 시예요. 제목도 '찻숟갈'이고, 찻숟갈의 성격에 대해서 이야기도 하고 있지요. (정답) **찻숟갈**

7 (정답 풀이) 이 시의 1연과 3연의 마지막은 모두 '보얗고 쬐그만 귀연 찻숟갈'이라는 말로 끝나요. 이 구절에서 찻숟갈의 모습이 두 번 반복되었네요. (정답) **보얗고 쬐그만 귀연**

8 (정답 풀이) 2연에서 아버지는 내게 "손님이 오시면 / 찻숟갈처럼 얌전하게 / 내 옆에 / 앉아 있어."라고 말씀하셨어요. 이 부분을 보면 아버지는 찻숟갈이 얌전하다고 생각하신다는 것을 알 수 있어요. (정답) **①**

어휘력 체크체크   1. ①   2. ②   3. ①

04 일차

본문 ➲ 24쪽

1 사과	2 (1) **쉬는 시간**, (2) **거북이**	3 ③
4 먹잇감	5 거미줄, 이빨, 소화액	6 ②
7 반대	8 ③	9 ④

1 (◉ 정답 풀이) 경진이는 신영이에게 거북이라고 불러서 미안하다고 했어요. 따라서 이 글은 경진이가 신영이에게 사과하는 글이에요.　　　　정답 **사과**

2 (◉ 정답 풀이) 경진이는 체육 시간이 끝나고 쉬는 시간에, 신영이에게 거북이라고 불렀어요. 그래서 신영이는 매우 화가 났지요.

정답 (1) **쉬는 시간**, (2) **거북이**

3 (◉ 정답 풀이) 경진이는 글의 마지막 부분에서, 신영이가 화를 풀고 예전처럼 다시 사이좋게 지냈으면 좋겠다고 했어요. 따라서 경진이가 바라는 것은 신영이와 다시 사이가 좋아지는 것이에요.　　정답 ③

4 (◉ 정답 풀이) 이 글은 거미가 거미줄을 쳐서 어떻게 먹잇감을 잡아먹는지를 설명하고 있는 글이에요.

정답 **먹잇감**

5 (◉ 정답 풀이) 2문단의 두 번째 문장에서 '거미줄의 가운데에서 먹잇감이 걸리기를 기다린다.'라고 하였고, 세 번째 문장에서 '먹잇감이 거미줄에 걸리면 거미는 날카로운 이빨로 먹잇감을 찌른 다음, 소화액으로 녹여서 빨아먹는다.'라고 했어요. 따라서 거미가 먹잇감을 잡아 먹는 과정에서 필요로 하는 것은 거미줄과 이빨, 소화액이에요.

정답 **거미줄, 이빨, 소화액**

6 (◉ 정답 풀이) 1문단의 네 번째 문장에서, '거미는 절대로 가로실을 밟지 않는다.'라고 했어요. 따라서 거미가 가로실을 밟고 먹잇감에게 다가간다고 한 것은 잘못된 내용이에요.　　정답 ②

7 (◉ 정답 풀이) 글쓴이는 글의 첫 부분에서 '저는 지각 하는 친구들이 교실 청소를 해야 한다는 의견에 반대합니다.'라고 했어요. 따라서 이 글에서 글쓴이는 지각하는 친구들이 교실 청소를 해야 한다는 것에 반대하는 의견을 가지고 있다는 것을 알 수 있어요.

정답 **반대**

8 (◉ 정답 풀이) 앞에서 주장한 내용의 이유를 말할 때에는 문장의 첫머리에 '왜냐하면'을 써요. 그리고 '왜냐하면'을 쓴 문장의 끝은 '~이기 때문입니다.'로 써야 해요.　　정답 ③

9 (◉ 정답 풀이) 글쓴이는 2문단의 세 번째 문장에서 '교실은 우리 반 친구들이 다 같이 쓰는 공간이고, 우리 모두 책임을 져야 하는 공간입니다.'라고 했어요. 그러면서 우리 반 친구들이 모두 함께 청소를 해야 한다고 주장하고 있어요.　　정답 ④

 어휘력 체크체크
1. **지각**　　2. **순서**
3. **지저분하다**

05 일차

1 초대	**2** 찾아오세요	**3** ①
4 스물 한	**5** (1)-×, (2)-○, (3)-×	
6 ④	**7** ③	**8** ② → ③ → ①

1 ◎정답 풀이 이 글은 선생님이 쓰신 글로, 이번 주 금요일에 열리는 별 관측 행사에 2학년 친구들을 초대하는 글이에요. 정답 **초대**

2 ◎정답 풀이 선생님이 계신 곳을 알아내어 그 쪽으로 오는 것은 '찾아오다'라고 써요. 그러므로 '차자오세요'는 '찾아오세요'라고 써야 맞춤법에 맞아요. 정답 **찾아오세요**

3 ◎정답 풀이 '장소' 부분을 확인해야겠지요? '장소'를 보면, 우선 2학년 1반 교실에서 모이고, 친구들이 모두 모이면 선생님과 함께 옥상으로 갈 거라고 했어요. 따라서 가장 먼저 가야 할 장소는 2학년 1반 교실이에요. 정답 ①

4 ◎정답 풀이 이 글의 첫 부분에서 '우리 언니는 저와 열두 살 차이가 나고 대학생입니다.'라고 했어요. 따라서 내가 아홉 살이라면 언니는 스물 한 살이지요. 정답 **스물 한**

5 ◎정답 풀이 (1) 1문단의 두 번째 문장에서 '고등학생일 때에도 집에 늦게 왔는데, 대학생이 되고 나서 더 바빠진 것 같습니다.'라고 했어요. (2) 1문단의 네 번째 문장에서 '언니가 집에 늦게 들어오는 날에는 제가 좋아하는 젤리를 사올 때도 있는데, 저는 그것보다 언니가 집에 일찍 들어오는 것이 더 좋습니다.'라고 했어요. (3) 2문단의 두 번째 문장에서 '제가 약속한 것을 잘 지키지 않거나 밥을 잘 먹지 않으면 엄마보다 더 크게 혼을 냅니다.'라고 했어요. 따라서 항상 혼을 내는 것은 아니에요. 정답 (1)-×, (2)-○, (3)-×

6 ◎정답 풀이 2문단의 세 번째 문장에서 '지난주에는 엄마에게 혼이 나서 저녁을 먹지 않겠다고 했다가 언니에게 더 크게 혼났습니다.'라고 했어요. 이 부분을 통해 언니에게 혼난 이유를 알 수 있지요. 정답 ④

7 ◎정답 풀이 이 글은 형제간에 우애 있게 지내는 모습을 보여 주고 있어요. 따라서 이 글을 읽고 누나와 서로 아끼고 사랑하며 지내야겠다고 생각한 정수가 이 글의 내용을 가장 잘 이해하고 있어요. 정답 ③

8 ◎정답 풀이 형제는 밤에 서로의 집에 볏단을 몰래 가져다 놓았는데, 아침이 되어 자신의 집에 볏단이 있는 것을 보고 놀랐어요. 그래서 그 다음날 밤 다시 볏단을 서로의 집에 가져다 놓으려다 길 중간에서 마주치고 말았지요. 정답 ② → ③ → ①

어휘력 체크체크 1. ① 2. ② 3. ①

어휘력 쑥쑥 테스트 01. 끈기 02. 차이점 03. 유난히 04. 개학 05. 관측 06. 추천 07. 끈적끈적

1 소개	2 다행	3 ④	4 붓고
5 (가)-1, (나)-3, (다)-2		6 ①	
7 스무고개	8 스무	9 ②, ④	

1 ◎정답풀이 수정이는 별빛초등학교에서 전학을 왔어요. 전학을 와서 새로 만나게 된 친구들에게 자신을 소개하고 있어요. 정답 **소개**

2 ◎정답풀이 수정이는 1문단의 세 번째 문장에서 '오늘 등교하기 전에는 친구를 사귀지 못할까봐 걱정을 했지만, 너희를 직접 보니 모두 좋은 친구들인 것 같아서 다행이라고 생각해.'라고 했어요. 따라서 친구들을 만나기 전에는 걱정을 했지만, 만난 후에는 다행이라고 생각한다는 것을 알 수 있어요. 정답 **다행**

3 ◎정답풀이 수정이는 강아지를 키우는데, 강아지의 이름이 '두부'라고 했어요. 그리고 2문단의 세 번째 문장에서 '털이 하얀색이어서 꼭 두부 같거든.'이라고 했어요. 따라서 털이 하얀색이라는 점이 두부와 닮았기 때문에 강아지의 이름이 '두부'라는 것을 알 수 있어요. 정답 **④**

4 ◎정답풀이 '액체나 가루 따위를 다른 곳에 담고'라는 뜻을 가진 낱말은 '붓고'라고 써야 해요. 정답 **붓고**

5 ◎정답풀이 2문단의 첫 번째 문장에서 '할머니께서는 먼저 냄비에 물을 조금 붓고 떡과 어묵을 넣어 끓이셨다.' 라고 하였고, 두 번째 문장에서 '파와 마늘도 썰어서 냄비에 넣으셨다.'라고 했어요. 여섯 번째 문장에서는 '할머니께서는 내가 만든 양념장을 냄비에 넣어 떡볶이를 완성하셨다.'라고 했어요. 따라서 냄비에 물을 붓고 떡과 어묵을 끓이고(①), 파와 마늘을 썰어 냄비에 넣고(②), 양념장을 냄비에 넣는 것(③)이 떡볶이를 만드는 순서예요.

정답 (가)-1, (나)-3, (다)-2

6 ◎정답풀이 2문단의 세 번째 문장은 '내가 한 일은 양념장을 만드는 것이었다.'예요. 따라서 떡볶이를 만들 때 내가 할머니를 도와 드린 부분은 양념장을 만드는 것임을 알 수 있어요. 정답 **①**

7 ◎정답풀이 이 글은 '스무고개'라는 놀이를 하는 방법과, 이 놀이를 할 때 지켜야 할 두 가지 규칙에 대해서 설명하고 있는 글이에요. 따라서 이 글에서 설명하고 있는 것은 '스무고개'예요. 정답 **스무고개**

8 ◎정답풀이 1문단의 두 번째 문장에서 '먼저 한 사람이 다른 사람에게는 말하지 않고 마음속으로 어떤 물건을 생각합니다.'라고 하였고, 세 번째 문장에서 '그러면 다른 사람은 최대한 스무 번까지 질문을 해서, 그 물건이 무엇인지를 알아맞히는 놀이입니다.'라고 했어요. 따라서 '스무고개'는 스무 번 질문을 해서, 친구가 생각하고 있는 물건이 무엇인지를 알아맞히는 놀이라고 할 수 있어요. 정답 **스무**

9 ◎정답풀이 2문단의 두 번째 문장에서 '첫째, 질문을 할 때에는 대답하는 사람이 '예' 또는 '아니오'로만 대답할 수 있도록 해야 합니다.'라고 했어요. 또 3문단의 첫 번째 문장에서 '문제를 내는 사람은 정답을 놀이 중간에 마음대로 바꾸면 안 됩니다.'라고 했어요. 따라서 '스무고개'의 두 가지 규칙은 정답을 놀이 중간에 바꾸면 안 된다는 것과, '예' 또는 '아니오'로만 대답할 수 있는 질문을 해야 한다는 것이에요. 정답 **②, ④**

 어휘력 체크체크 **1. 총** **2. 최대** **3. 반드시**

07 일차

1 우리 동네	2 ㈀ 대원동, ㈁ 시장, ㈂ 공원		
3 ③	4 직업	5 (1) O, (2) X	
6 ②	7 4	8 ①	9 ①

1 ◉정답 풀이 이 글은 글쓴이가 살고 있는 동네를 소개하면서, 동네에 있는 시장과 공원에 대해 이야기하고 있어요. 시장과 공원은 동네 안에 있는 것이기 때문에, 이 글은 '우리 동네'를 소개하는 글이라고 볼 수 있어요. 　정답 **우리 동네**

2 ◉정답 풀이 ㈀, ㈁, ㈂은 모두 '이곳'이지만, 가리키는 곳은 각각 달라요. '이곳'이 어디인지 찾을 때에는 바로 앞의 내용을 잘 살펴야 해요. ㈀의 앞에서는 우리 동네 대원동에 대해 말했고, ㈁의 앞에서는 큰 시장이 있다고 했어요. ㈂의 앞 문장에서는 공원에 대해 소개하고 있어요. 따라서 ㈀은 대원동, ㈁은 (큰) 시장, ㈂은 공원을 가리키고 있어요.
　정답 ㈀ **대원동**, ㈁ **시장**, ㈂ **공원**

3 ◉정답 풀이 1문단의 뒷부분에서 우리 동네의 시장에는 먹을 것이 많다고 했어요. 또 사람들이 구경을 많이 온다고도 했지요. 따라서 우리 동네 시장의 특징은 먹을 것이 많아서 사람들이 구경을 많이 온다는 것이에요. 　정답 ③

4 ◉정답 풀이 돈, 택시, 행복도 모두 이 글에 나오는 낱말이지만, 이 낱말들은 '직업'에 대해 설명하기 위해 쓰인 낱말들이에요. 이 글에서는 직업의 의미와 사람들이 직업을 갖는 이유에 대해서 설명하고 있기 때문에, 가장 중요한 낱말은 직업이지요.
　정답 **직업**

5 ◉정답 풀이 (1) 1문단의 네 번째 문장에서 '사람들은 이렇게 돈을 벌어 필요한 물건도 사고'라고 했어요. (2) 2문단의 첫 번째 문장에서 '하지만 사람들이 직업을 갖는 이유가 오직 돈을 벌기 위해서만은 아니

다.'라고 했어요. 사람들은 일을 하면서 행복과 보람을 느끼고 자신의 능력을 보여줄 수도 있다고 했지요. 　정답 (1) ◯, (2) ✕

6 ◉정답 풀이 1문단의 첫 부분에서 '사람이 살아가는 데 필요한 돈을 벌기 위해 일정한 기간 동안 계속하여 하는 일을 '직업'이라고 한다.'라고 했어요. 즉, 직업이라고 할 수 있으려면 돈을 벌어야 하고, 일정 기간 동안 계속해서 일을 해야 해요. ①, ②, ③, ④에서 여기에 해당하는 것은 버스 운전을 3년 동안 계속해서 하고 있는 삼촌뿐이에요. ①, ③, ④는 일정 기간 동안 계속해서 하는 일이 아니기 때문에 직업이라고 할 수 없지요. 　정답 ②

7 ◉정답 풀이 시에서 '연'은 몇 행을 한 단위로 묶어서 이르는 말이에요. 따라서 '연'은 한 줄을 띄어서 나타내요. 이 시는 총 4개의 덩어리로 묶여져 있어요. 이 시는 총 4연이라는 뜻이에요. 　정답 4

8 ◉정답 풀이 2연에서 '나보다 훨씬 느리게 / 내 두 눈보다 더 자세하게' 잠자리는 글자를 쓰다듬는다고 했어요. 즉, 잠자리는 아주 느리고 자세하게 글자를 쓰다듬고 있음을 알 수 있어요. 글자를 쓰다듬는다는 것은, 책을 읽고 있다는 뜻으로 이해할 수 있어요. 　정답 ①

9 ◉정답 풀이 1연에서 내가 읽고 있는 책 위에 잠자리가 앉았다고 하였지요? 따라서 지금 나와 잠자리의 모습으로는 ㈀이 가장 적합해요. 　정답 ①

어휘력 체크체크　1. 전송　2. 자세하다　3. 책장

08 일차

본문 ○ 44쪽

1 소개	2 (1) 소의 눈, (2) 초롱초롱	3 ②
4 동네 주민	5 동생	6 ①	7 ①
8 사계절	9 ④	10 ④

1 ◎정답 풀이 글쓴이는 친구 예지의 눈을 자세하게 말하고, 마음씨에 대해 예를 들면서 소개하고 있어요.

정답 **소개**

2 ◎정답 풀이 글쓴이는 다섯 번째 문장에서 '예전에 시골에서 소를 본 적이 있는데, 예지의 눈을 보면 그때 본 소의 눈이 생각납니다.'라고 했어요. 또 여섯 번째 문장에서 '둘 다 눈빛이 초롱초롱하기 때문입니다.'라고 하면서 예지의 눈을 보고 소의 눈을 떠올린 이유를 이야기하고 있어요.

정답 (1) **소의 눈**, (2) **초롱초롱**

3 ◎정답 풀이 글쓴이는 1문단에서 예지의 눈이 매력적이라고 했고, 2문단에서는 예지의 마음씨가 아름답다고 했어요. 따라서 예지는 눈과 마음씨가 모두 아름다운 친구라는 것을 알 수 있어요. 정답 ②

4 ◎정답 풀이 2문단의 첫 번째 문장은 '저는 동네 주민 여러분께 동네에서 전동 킥보드 타기를 금지할 것을 건의합니다.'예요. 따라서 글쓴이가 동네 주민들을 대상으로 이 글을 썼음을 알 수 있어요.

정답 **동네 주민**

5 ◎정답 풀이 1문단의 네 번째 문장에서 '제 동생은 어제 놀이터 앞을 지나가다가 뒤에서 오는 전동 킥보드를 탄 사람과 부딪혀 넘어졌습니다.'라고 했어요. 따라서 동생이 전동 킥보드 때문에 넘어졌다는 것을 알 수 있어요. 정답 **동생**

6 ◎정답 풀이 빈칸의 앞뒤로 '빠른 속도로 킥보드를 타는' 내용이 나와요. '쌩쌩'은 '사람이나 물체가 바람을 일으킬 만큼 잇따라 빠르게 움직일 때 나는 소

리. 또는 그 모양.'을 뜻하므로, 빈칸에 들어갈 알맞은 단어는 '쌩쌩'이에요. 정답 ①

알아두면 도움이 돼요!

"소리나 모양을 나타내는 낱말들"

우리말에는 소리나 모양을 실감나게 표현하는 낱말들이 있어요. 종류는 아주 많은데, 문제에 나온 세 가지를 먼저 알아볼게요.
1) 졸졸: 가는 물줄기 따위가 잇따라 부드럽게 흐르는 소리. 또는 그 모양.
2) 쿨쿨: 곤하게 깊이 자면서 숨을 크게 쉬는 소리. 또는 그 모양.
3) 쿵쿵: 크고 무거운 물건이 잇따라 바닥이나 물체 위에 떨어지거나 부딪쳐 나는 소리.

7 ◎정답 풀이 1문단의 두 번째 문장에서 '속도가 빠르기 때문에 사고의 위험이 큽니다.'라고 했어요. 따라서 친구들 의견 중에서 글쓴이의 의견과 같은 친구는 연희예요. 정답 ①

8 ◎정답 풀이 둘째 문장에서 '저는 우리나라의 사계절에 대해 발표할 윤수진입니다.'라고 했어요. 따라서 글쓴이가 발표하고 있는 내용은 '우리나라의 사계절'이에요. 정답 **사계절**

9 ◎정답 풀이 여름에는 날씨가 매우 덥고 비가 많이 오는 장마 기간이 있다고 했지요. 따라서 비가 오는 여름에 가장 필요한 물건은 우산이에요. 정답 ④

10 ◎정답 풀이 3문단의 네 번째 문장부터 여섯 번째 문장까지가 겨울에 대한 내용이에요. 겨울에는 눈이 내리고 얼음이 자주 얼기도 하지요. 따라서 눈이 오고 얼음이 얼었다고 한 일기가 겨울에 쓴 것이에요. 정답 ④

 어휘력 체크체크 **1. 장마** **2. 축축한** **3. 음료**

09 일차

1 산책	2 ②	3 ①	4 위조
5 한국은행	6 ①	7 (1) 개울가, (2) 산속	
8 반대	9 ③		

1 ◎ 정답풀이 나는 오늘 저녁에 엄마와 함께 루키를 산책시킨 일에 대해서 일기를 썼어요. 정답 **산책**

2 ◎ 정답풀이 2문단을 보면, 엄마는 목줄을 잡았고 나는 집게와 비닐봉지를 들었다는 것을 알 수 있어요. 집게와 비닐봉지는 루키가 똥을 쌌을 때 치우기 위해 필요한 것이에요. 이 글에서 루키가 산책할 때 사탕은 필요 없는 것이지요. 정답 ②

3 ◎ 정답풀이 2문단의 마지막 부분에, '엄마는 루키가 똥을 싸면 우리가 꼭 치워야 하는 거라고 말씀하시면서 나를 칭찬해 주셨다.'라고 했어요. 따라서 내가 칭찬받은 이유는 루키의 똥을 잘 치웠기 때문이라는 것을 알 수 있어요. 정답 ①

4 ◎ 정답풀이 이 글은 돈은 한국은행에서만 만든다는 것을 설명하면서, 사람들이 가짜로 돈을 만들어 내는 것(위조)을 막기 위해 한국은행이 사용하는 여러 방법을 설명하고 있어요. '위조'는 '어떤 물건을 속일 목적으로 꾸며 진짜처럼 만듦.'이라는 뜻이에요. 정답 **위조**

5 ◎ 정답풀이 1문단의 세 번째 문장에서 '우리나라의 돈은 한국은행에서만 발행한다.'라고 했어요. 정답 **한국은행**

6 ◎ 정답풀이 2문단에서는 위조를 막기 위한 방법들이 소개되어 있어요. 3~5번째 문장에서 '먼저, 지폐에 고유의 번호를 매겨 놓았다. 그리고 지폐를 빛에 비추면 숨겨진 그림이 나타나도록 하였다. 또 금액이 적혀 있는 숫자 부분은 보는 각도에 따라 색깔이 변하도록 만들었다.'라고 했지요. 그러나 지폐의

두께와 관련된 내용은 설명하고 있지 않아요. 정답 ①

7 ◎ 정답풀이 엄마 청개구리는 산속에 묻히고 싶었지만, 아들 청개구리가 반대로 행동할 것이라고 생각해서 개울가에 묻어 달라고 했어요. 따라서 엄마가 묻어 달라고 한 곳은 개울가, 실제 묻히고 싶었던 곳은 산속이에요. 정답 (1) **개울가**, (2) **산속**

8 ◎ 정답풀이 '그런'은 앞에서 이야기했던 행동을 다시 가리킬 때 쓰는 표현이에요. '그런 행동'은 앞에서 말한 아들 청개구리의 행동이에요. 엄마가 살아계실 때, 아들이 말을 듣지 않고 항상 반대로 행동했던 것을 뜻하는 것이지요. 정답 **반대**

9 ◎ 정답풀이 이 글은 엄마가 살아계실 때 말을 잘 듣지 않고 항상 반대로만 행동했던 아들이, 엄마가 돌아가시고 난 후 후회하는 모습을 이야기하고 있어요. 따라서 아빠의 말을 듣기 싫어하는 소윤이에게 이 글을 추천해 주면 좋을 것 같아요. 정답 ③

 어휘력 체크체크   1. ①   2. ②

1 오후	2 ①	3 ①
4 일회용품	5 (1) 수저, (2) 컵	6 ①, ④
7 이종사촌	8 2, 미국	9 ④

1 ◎ 정답 풀이 2문단의 첫 문장에서 '우리 가족은 점심을 먹은 후 어린이 과학관으로 갔다.'라고 했어요. 따라서 우리 가족이 과학관에 간 것은 점심 이후인 '오후'이지요. 정답 **오후**

2 ◎ 정답 풀이 2문단에서 '특히 탱탱볼을 만드는 체험이 재미있었다.'라고 했어요. 또 우연히 지애네 가족을 만났다고도 했어요. 따라서 과학관에서 있었던 일은 탱탱볼을 만든 것과 우연히 지애네 가족을 만난 것이에요. 정답 ①

3 ◎ 정답 풀이 1문단의 세 번째 문장에서 '선생님께서는 어린이 과학관이 지난주에 개관했다고 하시면서 재미있는 것이 많으니 꼭 가보라고 하셨다.'라고 했어요. 따라서 우리 가족이 과학관에 간 것은 선생님께서 가보라고 하셨기 때문이에요. 정답 ①

4 ◎ 정답 풀이 글쓴이는 일회용품을 썼을 때의 문제점에 대해 이야기하면서, 일회용품 사용을 줄이자고 주장하고 있어요. 정답 **일회용품**

5 ◎ 정답 풀이 2문단의 세 번째 문장에서 '공원에 놀러 갈 때는 집에서 사용하던 접시와 수저를 직접 챙겨 가고, 카페에서 음료를 마실 때에도 개인용 컵이나 물통을 가져가면 됩니다.'라고 했어요.

정답 (1) **수저**, (2) **컵**

6 ◎ 정답 풀이 1문단의 네 번째 문장에서 '일회용품은 한 번 사용하면 버리기 때문에'라고 했고, 다섯 번째 문장에서 '일회용품 쓰레기는 잘 썩지 않기 때문에 오래오래 남아'라고 했어요. 따라서 일회용품의 특징은 한 번 사용하면 버리게 되고, 잘 썩지 않아

서 오래 남는다는 것이에요. 정답 ①, ④

7 ◎ 정답 풀이 효은이는 이모의 딸이에요. 따라서 나와는 이종사촌 관계이지요. 정답 **이종사촌**

8 ◎ 정답 풀이 민영이의 두 번째 대화에서, 효은이는 재작년에 미국으로 이민 갔다는 것을 알 수 있어요. 재작년은 2년 전을 의미하니까, 효은이가 이민 간 것은 2년 전, 미국으로 간 것이지요. 정답 **2, 미국**

9 ◎ 정답 풀이 민영이의 두 번째 대화와 엄마의 두 번째 대화를 보면, 효은이는 작년에 한국에 온 적이 있지만 민영이는 그 사실을 몰랐어요. 민영이는 방금 엄마의 말을 듣고 효은이가 작년에 한국에 왔었다는 사실을 새롭게 알게 되었지요. 정답 ④

🔖 어휘력 체크체크 1. **이민** 2. **작년** 3. **기대**

어휘력 쑥쑥 테스트 01. **발행** 02. **개관** 03. **보람**
04. **규칙** 05. **위조**
06. **북적북적** 07. **초롱초롱**

1 올림	2 거북선, 왜구	3 ①, ③
4 기사	5 ③	6 ④
7 비닐봉지	8 (1)−㉠, (2)−㉡	9 ②

1 　◉ 정답 풀이 　윗사람에게 편지를 쓸 때에는 마지막에 자신이 누구인지 한 번 더 밝히고, '올림'이라고 써서 예의를 표현해요. 　정답 올림

2 　◉ 정답 풀이 　1문단에서 '왜구를 크게 무찌른 장군님의 이야기', '뛰어난 거북선도 만들어 내신 것을 보고 저는 감동받았어요.'라고 했어요. 따라서 이순신 장군님의 업적은 뛰어난 거북선을 만드신 것과, 왜구를 무찌르신 것이에요. 　정답 거북선, 왜구

3 　◉ 정답 풀이 　2문단의 마지막에서 재현이는 '저도 장군님처럼 포기하지 않고 용기 있게 살아가는 재현이가 될게요.'라고 했어요. 그러므로 재현이는 이순신 장군님의 포기하지 않는 마음과, 용기 있는 마음을 닮겠다는 것이에요. 　정답 ①, ③

4 　◉ 정답 풀이 　사회 곳곳에서 벌어지는 일들을 기자가 사실대로 전달하는 글을 '기사'라고 해요. 기사가 신문에 실릴 경우에는 '신문 기사'라고 한답니다. 　정답 기사

5 　◉ 정답 풀이 　기사의 제목과, 1문단의 첫 문장을 보면 A과일 음료에서 세균이 발견된 것을 알 수 있어요. 따라서 제시된 그림 중에서는 오렌지 주스가 세균이 발견된 식품과 같은 종류이지요. 　정답 ③

6 　◉ 정답 풀이 　2문단의 마지막 문장에서, '비슷한 사례를 발견하면 불량 식품 신고 전화(☎1399)나 상담 전화(☎110)로 신고해 달라고 하였다.'라고 했어요. 따라서 불량 식품을 판매하는 것을 보면 1399나 110번으로 신고 전화를 해야 해요. 　정답 ④

7 　◉ 정답 풀이 　시의 3행에서 '비닐봉지에 몇 알 남겨'

라고 하였어요. 따라서 그동안 감자가 비닐봉지에 담겨 있었다는 것을 알 수 있어요. 　정답 비닐봉지

8 　◉ 정답 풀이 　'푸릇푸릇'은 '화가 난 도깨비 뿔'을 꾸며 주고 있지요. 따라서 '푸릇푸릇'은 화가 난 도깨비 뿔의 색을 의미해요. '쿵쾅쿵쾅'은 화가 난 감자가 거실, 안방, 언니 공부방으로 걸어 다니는 소리를 표현한 것이에요. 　정답 (1)−㉠, (2)−㉡

9 　◉ 정답 풀이 　시의 14행과 15행에서 감자는 '이렇게 구석에 처박아 놓을 테면 / 시골 할머니 댁에 다시 보내 줘!'라고 했어요. 이 말은 시골 할머니 댁에 보내 달라는 의미이기도 하지만, 가장 바라는 것은 자신을 구석에 처박아 놓지 말라는 의미예요. 　정답 ②

 어휘력 체크체크 　1. ① 　　2. ②

1 흥부, 놀부	2 (1) 도깨비, (2) 금은보화	3 ①
4 설득	5 ③	6 ④
7 모집	8 기르며	9 ②

1 ◎ 정답 풀이 1문단의 두 번째 문장에서 "흥부와 놀부'는 제목처럼 흥부와 놀부 형제가 주인공입니다.'라고 하였어요.　정답 **흥부, 놀부**

2 ◎ 정답 풀이 1문단의 네 번째 문장에서 흥부의 박 안에서는 금은보화가 나오고, 놀부의 박 안에서는 도깨비들이 나왔다고 하였어요.

정답 (1) **도깨비**, (2) **금은보화**

3 ◎ 정답 풀이 2문단의 두 번째 문장에서 엄마는 나의 행동에 따라서 박에서 나오는 것이 달라진다고 하셨어요. 이 말은 내가 착하게 행동하면 박에서 좋은 것이, 나쁘게 행동하면 나쁜 것이 나올 것이라는 뜻이에요. 세 번째 문장에서 '그래서 나는 앞으로 흥부처럼 다른 사람들을 더 잘 도와주는 착한 사람이 되어야겠다고 다짐했습니다.'라고 했지요? 착하게 살면 복이 오기 때문이에요.　정답 ①

4 ◎ 정답 풀이 이 글은 기분 나쁜 말을 주고받으면 친구 사이가 나빠진다고 하면서, 아름답고 고운 말을 사용해야 한다고 다른 사람들을 설득하는 글이에요.　정답 **설득**

5 ◎ 정답 풀이 1문단에서 기분 나쁜 말을 하면 둘 사이가 더 나빠지고 서로 기분이 상하게 된다고 했어요. 2문단에서는 아름답고 고운 말을 사용하면 서로 기분이 좋아져 즐거운 대화를 할 수 있다고 하였어요.　정답 ③

6 ◎ 정답 풀이 이 글은 '가는 말이 고와야 오는 말이 곱다.'라는 속담을 소개하면서, '이 속담은 내가 다른 사람으로부터 좋은 말을 듣고 싶으면, 내가 먼저

그 사람에게 좋은 말을 해야 한다는 뜻입니다.'라고 속담의 의미를 말해 주었어요.　정답 ④

7 ◎ 정답 풀이 이 글의 제목은 [어린이 축구단 단원 모집]이고, 내용도 우리 동네 어린이 축구단 단원을 모집한다는 것이에요. 따라서 이 글은 어린이 축구단 단원을 모집하기 위해 쓴 글이에요.　정답 **모집**

8 ◎ 정답 풀이 체력을 좋게 만든다는 의미로는 '기르다'를 쓸 수 있어요. '가꾸다'는 식물을 보살피거나 외모를 꾸밀 때 쓰는 말이에요.　정답 **기르며**

9 ◎ 정답 풀이 '축구단 단원이 되려면 어떻게 해야 하나요?'라는 질문에 '먼저 신청서를 써서 3월 31일까지 체육센터 1층 사무실에 제출하세요.'라고 했어요. 따라서 '어린이 축구단 단원'이 되기 위해서 가장 먼저 해야 할 일은 신청서를 써서 체육센터 1층 사무실에 제출하는 것이에요.　정답 ②

🎩 어휘력 체크체크 **1. 단원　2. 모집　3. 참여**

13 일차

1 만화	2 (1) X, (2) X, (3) O	3 ①, ②
4 도구	5 등	6 ③	7 (1) 망원
경, (2) 양탄자, (3) 사과	8 첫째	9 ②

1 정답 풀이 이 글은 사촌 오빠인 현서 오빠와 함께 만화에 대한 전시를 하는 미술관을 다녀온 경험을 쓴 일기예요. 정답 **만화**

2 정답 풀이 (1) 1문단의 세 번째 문장에서 현서 오빠는 '보려던 전시를 내가 좋아할 것 같아서 같이 가자고 한 것이라고 했다.'고 했어요. 따라서 내가 오빠에게 제안했다는 것은 틀린 내용이지요. (2) 1문단의 두 번째 문장에서 '부모님과 미술관에 간 적은 있었지만, 현서 오빠와 함께 간 적은 처음이었다.'라고 했어요. 따라서 나는 예전에 미술관에 가 본 적이 있는 것이지요. (3) 2문단의 마지막 부분에서 '미술관에서 나와서는 오빠가 아이스크림을 사 주어서 맛있게 먹었다.'라고 했어요.
정답 (1) ×, (2) ×, (3) ○

3 정답 풀이 2문단의 앞부분에서는 우리나라 최초의 만화책과 엄마 아빠가 어릴 적에 보았을 것 같은 만화책, 요즘 나온 만화책이 전시되어 있었다고 했지요. 이것을 종합해 보면, 나는 여러 시대의 만화책이 전시되어 있는 것을 보았음을 알 수 있어요. 또한 만화로 된 책과 영화, 게임, 인터넷 만화를 본 것은 다양한 종류의 만화를 본 것이지요.
정답 ①, ②

4 정답 풀이 이 글은 서예가 무엇인지, 서예의 아름다움은 어떻게 나타나는지, 서예를 할 때 필요한 도구는 무엇인지에 대해 설명하는 글이에요.
정답 **도구**

5 정답 풀이 '그 밖에도 같은 종류의 것이 더 있음.'이라는 의미의 낱말은 '등'을 써요. 이 글에서 설명

하고 있는 서예의 도구로는 먹, 벼루, 화선지, 붓, 연적이 있었지요? 이 외에 또 서예의 도구가 있다는 것을 말하고 싶다면, 앞의 단어들 중 마지막 단어인 '연적' 뒤에 한 칸을 띄고 '등'을 쓰면 된답니다. 정답 **등**

6 정답 풀이 1문단의 마지막 문장에서 '서예의 아름다움은 여러 가지로 나타날 수 있습니다.'라고 했어요. 따라서 서예의 아름다움을 나타내는 방법은 여러 가지가 있다고 한 예성이가 서예의 특징을 가장 잘 이해하고 있어요. 정답 ③

7 정답 풀이 1문단에서 첫째는 아주 멀리 볼 수 있는 '망원경'을, 둘째는 어디든지 날아갈 수 있는 '양탄자'를, 막내는 어떤 병이든 낫게 하는 '사과'를 보물로 가지고 있다고 했어요.
정답 (1) **망원경**, (2) **양탄자**, (3) **사과**

8 정답 풀이 2문단의 두 번째 문장에서, 첫째가 망원경을 통해 글을 본 다음 동생들에게 '공주의 병을 고치러 가자고 했습니다.'라고 했어요. 따라서 공주의 병을 고치러 가자고 다른 형제들에게 말한 사람은 첫째이지요. 정답 **첫째**

9 정답 풀이 3문단의 마지막 문장에서 '첫째와 둘째는 여전히 망원경과 양탄자를 가지고 있지만, 막내는 사과를 공주에게 줌으로써 사과를 잃었기 때문이었습니다.'라고 했어요. 막내는 소중한 보물을 공주에게 주느라 잃게 된 것이지요? 반면 첫째와 둘째의 보물은 공주를 위해 쓰였어도 여전히 남아 있어요. 그래서 왕은 막내가 두 형들보다 공주를 위해 더 희생했다고 생각하고, 막내를 공주의 남편으로 삼은 거예요. 정답 ②

🎤 어휘력 체크체크 1. **불치병** 2. **근심** 3. **귀중**

1. 김, 해조류   2. ②-①-③   3. ①
4. 소개   5. (1)-ⓒ, (2)-㉠, (3)-ⓛ
6. ②   7. 인사   8. 낯선   9. ③

1 ◎ 정답 풀이) 이 글은 1문단에서 김에 대해 설명하고, 2문단에서 김과 같은 해조류에 대해서 설명한 글이에요. 따라서 가장 중요한 두 낱말은 김과 해조류이지요.   정답 **김, 해조류**

2 ◎ 정답 풀이) 2문단에서 해조류는 바다의 어느 곳에 사는지에 따라 색깔이 다르다고 했어요. 특히 '얕은 바다에 살면 녹색을, 중간 깊이의 바다에 살면 갈색을, 더 깊은 바다에 살면 붉은색을 띱니다.'라고 했지요. 따라서 깊은 바닷속에 사는 순서대로 색깔에 번호를 매기면 1번이 붉은색, 2번이 갈색, 3번이 녹색이 되지요. ①은 미역, ②는 우뭇가사리, ③은 파래예요.   정답 ②-①-③

3 ◎ 정답 풀이) 2문단의 네 번째 문장에서 '해조류는 다른 식물들처럼 햇빛을 받아 스스로 양분을 만듭니다.'라고 했어요. 이를 통해 해조류는 햇빛을 받아야 양분을 만들 수 있음을 알 수 있어요.   정답 ①

4 ◎ 정답 풀이) 이 글은 엄마가 커피머신을 받게 된 이유, 커피머신의 생긴 모습 등 커피머신에 대해 소개하는 글이에요.   정답 **소개**

5 ◎ 정답 풀이) 2문단의 세 번째 문장에서 '크기는 커피가 나오는 본체가 가장 큽니다.'라고 하였어요. 그리고 다섯 번째 문장에서 '커피가 나올 때에는 물통에 들어 있는 물의 양이 점점 줄어드는 것이 보입니다.'라고 했지요. 거품기에 대해서는 두 번째 문장에서 '우유 거품을 만드는 올록볼록한 모양의 거품기가 있습니다.'라고 했어요.   정답 (1)-ⓒ, (2)-㉠, (3)-ⓛ

6 ◎ 정답 풀이) 1문단의 세 번째 문장에서 '엄마는 매일 커피를 마실 만큼 커피를 좋아하기 때문입니다.'라고 했어요. 엄마가 커피머신을 선물 받고 기뻐한 이유는 커피를 매우 좋아하기 때문이에요.   정답 ②

7 ◎ 정답 풀이) 이 글은 우리나라 사람들이 외국인을 만났을 때 피하고 인사를 잘 받아주지 않는다고 지적하면서, 외국인들에게 먼저 인사하고 반갑게 맞이하자고 주장하는 글이에요.   정답 **인사**

8 ◎ 정답 풀이) '전에 본 기억이 없어 익숙하지 아니한'이라는 의미를 가진 낱말은 '낯선'이라고 써야 해요.   정답 **낯선**

9 ◎ 정답 풀이) 2문단의 세 번째 문장에서 '외국인과 만나는 것이 익숙하지 않고, 어색해서 피하는 것입니다.'라고 했어요. 외국인을 싫어해서가 아니라, 익숙하지 않고 어색해서 피한다는 것을 알 수 있어요.   정답 ③

어휘력 체크체크   1. ②   2. ①   3. ②

15 일차

본문 ➡ 76쪽

1. 버스
2. ②
3. ③
4. 강강술래
5. (1) O, (2) X, (3) X
6. ③
7. 욕심
8. **여보,∨당신보다∨큰∨무가∨있어요!**
9. ①

---

1 **정답 풀이** 이 글은 다른 사람들과 함께 이용하는 버스에서는 조용히 대화하여 다른 사람들을 배려하자는 주장을 담고 있어요. 정답 **버스**

2 **정답 풀이** ①은 다른 사람들에게 음악 소리가 들리지 않도록 배려하는 모습이에요. ③도 낮은 목소리로 이야기함으로써 다른 사람들을 배려하는 모습이지요. 그러나 ②는 버스 안을 시끄럽게 만들기 때문에 바람직하지 않아요. 정답 ②

3 **정답 풀이** 글쓴이는 버스에서 시끄럽게 떠드는 사람들 때문에 그렇게 하지 말자고 이 글을 썼어요. 정답 ③

4 **정답 풀이** 이 글은 우리나라의 대표적 민속놀이인 '강강술래'에 대해 설명하는 글이에요. 정답 **강강술래**

5 **정답 풀이** (1) 2문단의 두 번째 문장에서 '원의 크기와 뛰는 속도는 참가자의 수와 노랫소리의 박자에 따라 달랐습니다.'라고 했어요. 원의 크기와 뛰는 속도는 참가자의 수나 노랫소리의 박자와 같은 상황에 따라 달라질 수 있다는 뜻이지요. (2) 2문단의 마지막 문장에서 '마을마다 외치는 소리의 내용은 달랐지만'이라고 했어요. (3) 2문단의 세 번째 문장에서 "강강술래'라고 외치는 소리는 목청이 가장 좋은 사람이 먼저 시작합니다.'라고 했어요. 정답 (1) ◯, (2) ✕, (3) ✕

6 **정답 풀이** 1문단의 마지막 문장에서 '젊은 여성들은 아끼던 고운 한복을 입고'라고 하여 강강술래를

할 때 한복을 입는다는 것과 여성들이 이 놀이를 한다는 것을 알려주었어요. 그리고 1문단의 두 번째 문장에서 '추석날 밤'이라고 강강술래를 하는 날을 알려 주었지요. 그런데 강강술래를 처음 시작하게 된 이유는 이 글에서 알 수 없어요. 정답 ③

7 **정답 풀이** 이 글은 욕심쟁이 부자가 선물을 받을 욕심에 황소를 사또께 바치고, 바라던 선물을 받지 못한 이야기예요. 지나친 욕심을 부리다가 애꿏은 황소만 잃게 된 것이죠. 정답 **욕심**

8 **정답 풀이** ㉠을 쓸 때에는 '여보, 당신보다 큰 무가 있어요!'라고 써야 한답니다. 정답 **여보,∨당신보다∨큰∨무가∨있어요!**

알아두면 도움이 돼요!

"띄어쓰기"

글을 쓸 때 띄어쓰기를 하지 않으면, 읽기에 매우 불편해요. 그래서 문장을 쓸 때에는 낱말 사이에 보기 좋게 띄어쓰기를 한답니다. 하지만 아무 곳이나 띄어 쓰면 안 돼요. 보통 뒷말에 새로운 의미의 낱말이 올 때에 띄어 쓴답니다. 그리고 문장 부호는 앞말 뒤에 붙여 쓰지요.

9 **정답 풀이** 욕심쟁이 부자는 마음속으로, '내가 황소를 바치면 사또께서 어마어마한 선물을 주시겠지?'라고 생각했어요. 좋은 선물을 받을 욕심으로 황소를 사또께 바친 것이지요. 정답 ①

 **어휘력 체크체크** 1. 감동   2. 희귀

어휘력 쑥쑥 테스트
01. 판매   02. 출신   03. 범벅
04. 제출   05. 리듬   06. 양분
07. 포기

1. (1) **컸다(크다)**, (2) **작다**   2. ①   3. **이유**
4. **다르게**   5. ③   6. **풍물놀이**   7. ④
8. ①, ③

1 ◉ 정답 풀이 1문단의 네 번째 문장에서 '미혜가 만든 작품의 색종이가 크기는 좀 컸다.'라고 했어요. 그리고 다섯 번째 문장에서 '나는 아주 작은 크기로 색종이를 찢어 붙였다.'라고 했지요. 미혜는 크게, 나는 아주 작게 색종이를 찢어 붙였음을 알 수 있어요.   정답 (1) **컸다(크다)**, (2) **작다**

2 ◉ 정답 풀이 1문단의 마지막 문장에서 '선생님께서 보시고 나에게 꼼꼼하다고 칭찬해 주셨다.'라고 했어요. 선생님께서 나를 칭찬해 주신 건 내가 꼼꼼하게 색종이를 붙였기 때문이라는 것을 알 수 있지요.   정답 ①

3 ◉ 정답 풀이 이 글은 바닷물이 왜 짠지 그 이유를 설명하고 있는 글이에요. 구체적으로는 바닷물이 짜지는 과정과 바다마다 짜기의 정도가 다른 이유도 나타나 있지요.   정답 **이유**

4 ◉ 정답 풀이 '비교가 되는 두 대상이 서로 같지 아니하게'라는 뜻의 낱말은 '다르게'예요. '틀리게'는 '셈이나 사실 따위가 그르게 되거나 어긋나게'라는 의미예요.   정답 **다르게**

알아두면 도움이 돼요!

"'다르다'와 '틀리다'"

'다르다'를 써야 할 때 '틀리다'를 쓰는 경우가 있습니다. '나는 너와 생각이 달라.'처럼 써야 하는데, '나는 너와 생각이 틀려.'라고 쓰는 것처럼 말이에요. 두 낱말은 헷갈릴 수 있지만, 뜻이 서로 다르기 때문에 구분해서 잘 써야 합니다. '다르다'와 '틀리다'의 반대말을 살펴볼

까요?
– '다르다'의 반대말: '같다'
– '틀리다'의 반대말: '맞다'
따라서 '같지 않다'는 의미의 낱말을 쓸 때에는 '틀리다'가 아니라 '다르다'를 써야 한답니다.

5 ◉ 정답 풀이 2문단의 세 번째 문장에서 '우리나라도 강물이 많이 흘러드는 서해가 동해보다 덜 짭니다.'라고 했어요. 이 말을 바꾸어보면 동해는 서해보다 강물이 적게 흘러들기 때문에 더 짜다는 뜻이 되지요.   정답 ③

6 ◉ 정답 풀이 이 글의 중심 소재는 '풍물놀이'예요. 물론 사물놀이에 대한 소개도 있지만, 사물놀이는 풍물놀이의 특징을 더 잘 알려주기 위해서 풍물놀이와 비교하는 대상일 뿐이에요. 그래서 사물놀이보다는 풍물놀이가 더 중요한 소재이지요.
정답 **풍물놀이**

7 ◉ 정답 풀이 뒤에 오는 말이 앞의 내용과 반대됨을 나타내는 말은 '반면'이에요. '풍물놀이에서는 여러 개의 악기가 사용됩니다.'라는 내용과 '사물놀이는 네 가지 악기만 사용합니다.'라는 내용은 서로 반대되는 내용이지요. 그래서 이 두 문장의 사이에는 '반면'을 쓰는 것이 가장 좋아요.   정답 ④

8 ◉ 정답 풀이 2문단의 네 번째 문장에서 '가장 큰 차이는 사용하는 악기의 수입니다.'라고 하였고, 마지막 문장에서 '풍물놀이는 야외에서 하는 반면, 사물놀이는 주로 실내에서 앉아서 연주한다는 점도 다릅니다.'라고 했어요. 따라서 풍물놀이와 사물놀이의 차이점 두 가지는 사용하는 악기의 수와 놀이를 하는 장소예요.   정답 ①, ③

 어휘력 체크체크   1. **흥**   2. **차이**   3. **협력**

17 일차

1. (1) X, (2) X, (3) O   2. ②
3. 독서 감상문   4. ㉠ O, ㉡ X, ㉢ O
5. ③   6. (1) 참빗, (2) 거울   7. 보름달
8. ③

1 ◉ 정답풀이 (1) 전시 기간이 14일 수요일부터 18일 일요일까지로 되어 있지요? 총 5일이에요. 따라서 4일이라고 한 것은 틀렸어요. (2) 동시는 학생들이 동시집에서 골랐다고 했어요. 따라서 직접 동시를 썼다는 것은 틀린 내용이에요. (3) 바이올린 연주는 수요일에서 금요일까지 한다고 했어요. 주말에는 하지 않는다는 것을 알 수 있지요.

정답 (1) ×, (2) ×, (3) ○

2 ◉ 정답풀이 이 글에 시화 전시회에 초대 받은 사람의 작품을 함께 전시한다는 내용은 없어요. 새날초등학교 학생들의 시화 전시회이기 때문에, 초대 받은 사람은 학생들의 작품을 감상하고, 사진으로 찍고, 학생들에게 격려의 박수를 보내는 것이 좋겠지요.

정답 ②

3 ◉ 정답풀이 이 글은 『꾀 많은 토끼』라는 책을 읽고 나서 나의 생각이나 느낌을 쓴 독서 감상문이에요.

정답 독서 감상문

4 ◉ 정답풀이 ㉠ 2문단의 두 번째 문장에서 '물론 처음에는 바닷속 구경을 시켜주겠다는 자라의 말에 속아 용궁으로 가게 되었지만'이라고 했어요. 자라와 토끼가 함께 바닷속에서 용궁으로 가고 있는 장면이 나오겠지요. ㉡ 1문단의 세 번째 문장에서 '우리 토순이는 상추만 좋아하고 별로 꾀가 없어 보이는데'라고 했어요. 상추를 먹는 토끼는 우리 집의 토순이이고, 책의 내용에서는 토끼가 상추를 먹는 내용이 없어요. ㉢ 2문단의 네 번째 문장에서 '다시 육지로 돌아와, 자라를 따돌리고 도망친 토끼'라고 했어요. 도망치는 토끼와 토끼를 놓친 자라가 등장

하겠지요.   정답 ㉠ ○, ㉡ ×, ㉢ ○

5 ◉ 정답풀이 간을 가지고 가지 못해 불쌍한 마음을 들게 만드는 등장인물은 꾀 많은 토끼가 아니라 '자라'예요.   정답 ③

6 ◉ 정답풀이 아내는 반달처럼 생긴 '참빗'을 사 달라고 했는데, 남편은 보름달처럼 생긴 동그란 '거울'을 사고 말았어요.   정답 (1) 참빗, (2) 거울

7 ◉ 정답풀이 농부가 한양까지 먼 길을 걸어가는 동안 반달이었던 달이 보름달로 변했어요. 그래서 농부는 참빗을 기억하지 못하고 동그란 거울을 사게 된 것이에요.   정답 보름달

8 ◉ 정답풀이 아내와 시어머니, 어린 아들은 거울을 예전에 본 적이 없었기 때문에 거울 속의 사람이 사실은 자신이라는 것을 알지 못했어요. 그래서 농부의 가족은 모두 거울을 보고 깜짝 놀라게 된 것이에요.   정답 ③

어휘력 체크체크 1. 잊다   2. 결국   3. 안심

18 일차

1. 눈병, 장염   2. ②   3. ②
4. 구분   5. ③   6. ②, ④   7. 풍력
8. (1) 풍차, (2) 발전기   9. ①

---

1 ◎ 정답 풀이 1문단의 마지막 문장에서 '손을 씻지 않은 상태에서 눈을 비비거나 음식을 먹게 되면 눈병이나 장염 등에 걸릴 수 있습니다.'라고 했어요.

정답 **눈병, 장염**

2 ◎ 정답 풀이 ㉠ 에는 '여기저기 모두, 꼼꼼하게'라는 의미를 가진 낱말이 들어가면 문장이 자연스럽게 이어지겠지요. '구석구석'은 '틈이 있는 곳마다 모조리. 또는 빈틈없이 모조리.'라는 뜻을 가지고 있어서 ㉠ 에 들어가면 좋아요.   정답 ②

3 ◎ 정답 풀이 2문단의 세 번째 문장에서 '손을 씻을 때에는 비누 거품을 충분히 내어서 구석구석 씻어야 합니다.'라고 했어요.   정답 ②

4 ◎ 정답 풀이 1문단의 두 번째 문장에서 '오늘 저는 이 둘을 구분하여 알려 드리겠습니다.'라고 하면서, 글의 목적을 말하고 있어요.   정답 **구분**

5 ◎ 정답 풀이 1문단의 일곱 번째 문장에서 '참외, 수박, 딸기는 밭에서 자라지만 일반적으로 과일이라고 합니다.'라고 했어요. 그리고 2문단의 세 번째 문장에서 '토마토는 열매채소'라고 했지요. 따라서 참외, 수박, 딸기, 토마토 중 채소에 속하는 것은 토마토예요.   정답 ③

6 ◎ 정답 풀이 글쓴이는 2문단의 네 번째 문장에서 '과일과 채소를 구분할 때는 먼저 어디에서 자라는지와 맛이 어떠한지를 생각하면 됩니다.'라고 했어요. 따라서 과일과 채소를 구분하는 두 가지 기준은 어디에서 자라는지와 맛이 어떠한지, 즉 익었을 때 단맛이 나는지가 기준이에요.   정답 ②, ④

7 ◎ 정답 풀이 이 글은 풍력이 무엇인지, 풍력으로 어떻게 전기를 만드는지, 풍력 에너지의 장점은 무엇인지 등을 설명하고 있는 글이에요. 가장 중요한 소재는 '풍력'이지요.   정답 **풍력**

8 ◎ 정답 풀이 2문단의 세 번째 문장에서 '풍력 발전은 자연의 바람을 이용하여 풍차를 돌리고, 풍차를 돌리는 힘으로 발전기를 돌려서 전기를 만들어 내는 방법을 사용한다.'라고 했어요.

정답 (1) **풍차**, (2) **발전기**

9 ◎ 정답 풀이 3문단의 마지막 문장에서 '풍력은 오염을 일으키지 않기 때문에 앞으로 많이 활용하게 될 것이다.'라고 했어요. 풍력은 환경오염 물질을 발생시키지 않는 깨끗한 에너지이거든요.   정답 ①

 어휘력 체크체크   1. ①   2. ②   3. ②

1. (1) 9월 2일, (2) 화요일, (3) 오전 10시~12시
2. ③   3. 종류   4. ③   5. ②
6. 꼴찌   7. ①   8. ③

1 　정답 풀이　 동별 점검 날짜와 시간을 나타낸 표를 보면, 현우가 사는 104동은 9월 2일, 화요일, 오전 10시에서 12시 사이에 점검을 한다고 되어 있어요. 따라서 이 시간에 현우는 엘리베이터를 이용할 수 없어요.

　정답　 (1) 9월 2일, (2) 화요일, (3) 오전 10시~12시

2 　정답 풀이　 첫 번째 문장에서 '우리 아파트에서는 6개월에 한 번씩 정기적으로 엘리베이터를 점검합니다.'라고 했어요. 그리고 세 번째 문장에서 '점검 후 6개월이 되는 9월에 또 엘리베이터를 점검하려고 합니다.'라고 했지요. 따라서 새별아파트에서 9월에 엘리베이터 점검을 하는 이유는 6개월마다 정기 점검을 하는데, 3월에 점검을 했기 때문이지요.

　정답　 ③

3 　정답 풀이　 이 글의 1문단에서는 가공식품의 의미에 대해서 알려 주고 있고, 2문단에서는 가공식품의 종류를 알려 주고 있어요. 따라서 이 글의 제목을 붙인다면 '가공식품의 의미와 종류'가 가장 좋아요.

　정답　 종류

4 　정답 풀이　 2문단의 마지막 부분에서 '요리의 재료로 사용하는 자연 그대로의 채소나 과일, 해산물과 고기 외의 식품은 대부분 가공식품이다.'라고 했어요. 이 말은 자연 그대로의 식품은 가공식품이 아니라는 말이에요. 고등어는 자연 그대로의 해산물이지요? 따라서 가공식품이 아니에요.

　정답　 ③

5 　정답 풀이　 3문단의 두 번째 문장에서 '가공식품에는 화학 물질을 넣는 경우가 있는데, 이 화학 물질은 건강에 좋지 않다.'라고 했어요. 따라서 가공식

품보다 집에서 만든 음식이 더 좋은 이유는 가공식품에는 화학 물질이 들어 있는 경우가 있기 때문이에요.

　정답　 ②

6 　정답 풀이　 상건이는 친구들과 함께 한 공 멀리 차기 놀이에서 꼴찌를 해서 화가 났어요. 그래서 혼자 미끄럼틀 위로 올라가 버렸지요.

　정답　 꼴찌

7 　정답 풀이　 속상하거나 부끄러울 때, 너무 당황했을 때 얼굴이 뜨겁게 달아오른 적이 있지요? 그럴 때의 얼굴을 표현하는 말로 '얼굴이 <u>벌겋게</u> 달아오르다'라고 표현해요

　정답　 ①

알아두면 도움이 돼요!

"감정을 색채어로 표현하기"

우리말에는 얼굴의 색깔을 통해 감정을 나타내는 표현들이 있어요.
① <u>벌겋게</u> 달아오르다.: 속상하거나 부끄러울 때, 너무 당황했을 때 써요.
② <u>파랗게</u> 또는 <u>하얗게</u> 질리다.: 너무 놀라거나 무서울 때, 충격을 받았을 때 써요.
③ <u>누렇게</u> 뜨다.: 몸이 아프거나 안 좋은 일을 겪어서 얼굴빛이 좋지 않을 때 써요.
이렇게 색채어를 써서 감정을 표현하니 더 생생하게 감정이 느껴지지요?

8 　정답 풀이　 상건이가 빠지고 한 공 멀리 차기에서는 민재가 꼴찌를 했어요. 하지만 민재는 농담을 하면서 꼴찌를 해도 즐거워했지요. 상건이도 그 모습을 보며 웃었고, 꼴찌도 재미있다는 생각을 하게 되었어요. 상건이는 민재의 모습을 보고 화가 풀려서 미끄럼틀을 내려오게 되었어요.

　정답　 ③

　어휘력 체크체크　 1. 신   2. 버럭

1. **주인**　　2. **금요일, 6**　　3. ②

4. **보호색**　　5. ②　　6. ④　　7. **줄**

8. ③　　9. ③

1 ◎정답풀이 이 글은 가방을 보관하고 있다고 알려 줌으로써, 가방을 잃어버린 학생이 읽고 찾아올 수 있도록 한 글이에요. 가방의 주인을 찾기 위한 글이지요. 　정답 **주인**

2 ◎정답풀이 가방을 주운 시간이 가방이 발견된 때이지요. 　정답 **금요일, 6**

3 ◎정답풀이 글의 마지막에서 '자신의 가방이라고 생각하는 학생은 1층 교무실 박이룸 선생님을 빨리 찾아오세요.'라고 했어요. 정수가 놀이터에서 축구화가 든 가방을 잃어버렸다면 정수의 가방일 가능성이 있어요. 따라서 정수는 가방을 보관하고 계시는 박이룸 선생님을 찾아 1층 교무실로 빨리 가야 해요. 　정답 ②

4 ◎정답풀이 이 글은 보호색이 무엇인지, 그리고 어떤 동물들이 보호색을 가지고 있는지에 대해 설명하고 있는 글이에요. 따라서 가장 중요한 단어는 '보호색'이지요. 　정답 **보호색**

5 ◎정답풀이 3문단의 두 번째 문장에서 '열대어가 화려한 색깔을 하고 있는 것은 산호초의 색이 화려하기 때문이다.'라고 했어요. 열대어는 화려한 산호초에 몸을 숨기기 위해 자신의 몸도 화려하게 만든 것이지요. 　정답 ②

6 ◎정답풀이 2문단의 뒷부분을 보면, 얼룩말을 잡아먹는 치타, 사자, 표범 등은 흰색과 검은색 밖에 볼 수 없다고 했어요. 그래서 초록색인 풀숲에 얼룩말이 있으면 멀리서는 잘 구별하지 못한다고 했어요. 얼룩말이 흰색과 검은색의 줄무늬를 가지게 된 것

은 사자나 치타의 이런 특징 때문이지요. 　정답 ④

7 ◎정답풀이 1문단에서 '현악기란 줄이 있는 악기를 말하는 것이지요.'라고 했어요. 따라서 현악기는 '줄'이 있는 악기라는 것을 알 수 있어요. 　정답 **줄**

8 ◎정답풀이 빈칸의 앞 문장은 바이올린을 배우기가 어렵다는 내용이고, 뒤 문장은 열심히 배우고 있다는 내용이지요. 이럴 때에는 '배우기가 어렵지만 배우고 있다'는 의미로 이해하는 것이 자연스러워요. '하지만'과 '그렇지만'은 앞 문장과 뒤 문장이 반대의 상황인 것을 나타내는 말이므로 빈칸에 쓸 수 있어요. '그래도'는 뒤 문장의 내용이 앞 문장과는 상관이 없음을 나타내는 말이므로 이것도 쓸 수 있어요. '그래서'는 앞 문장이 뒤 문장의 원인이나 근거일 때 쓰는 말이므로 여기에서는 어울리지 않아요. 　정답 ③

9 ◎정답풀이 3문단의 첫 번째 문장에서 '바이올린은 높은 소리부터 낮은 소리까지 다양한 소리를 표현할 수 있고'라고 했어요. 따라서 바이올린에 대해 바르게 이해하고 있는 친구는 높고 낮은 소리를 다양하게 표현할 수 있다고 한 선우예요. 　정답 ③

어휘력 체크체크　1. **매력**　2. **꾸준하다**　3. **다양**

어휘력 쑥쑥 테스트　01. **활용**　02. **증발**　03. **연주**

04. **주르륵**　05. **예외적**

06. **가공식품**　07. **표면**

21 일차

1. 판소리 **2.** (1) 소리꾼, (2) 고수 **3.** ②
4. 소문 **5.** 엉덩방아 **6.** ②

1 ◉정답 풀이 이 글은 판소리의 뜻에 대해 설명한 다음, 판소리에 참여하는 사람들을 차례로 소개하고 있어요. 노래를 하는 소리꾼, 북을 치는 고수, 그리고 관객이 판소리에 참여하는 사람들이지요.
정답 **판소리**

2 ◉정답 풀이 2문단의 세 번째 문장에서 소리꾼은 '구성진 목소리로 노래를 하는데, 노래만 하는 것이 아니라 중간중간에 대사도 하며 이야기를 이끌어 갑니다.'라고 했어요. 그리고 다섯 번째 문장에서 고수는 '북을 쳐서 장단을 맞추는 것이 가장 중요한 역할입니다.'라고 했어요. 따라서 구성진 목소리로 노래와 대사를 하는 사람은 '소리꾼', 북을 치며 장단을 맞추는 사람은 '고수'라는 것을 알 수 있어요.
정답 (1) **소리꾼**, (2) **고수**

3 ◉정답 풀이 3문단의 두 번째 문장에서 '판소리에서 가장 중요한 사람은 바로 관객인 것입니다.'라고 했어요. 그리고 네 번째 문장에서 관객들은 '공연의 분위기를 함께 만들어 나갑니다.'라고 했지요. 따라서 관객들은 공연의 분위기를 함께 만들기 때문에 중요한 역할을 했다는 것을 알 수 있어요. 정답 ②

4 ◉정답 풀이 이 글에서 수다쟁이 부인은 '다른 사람들이 한 비밀 이야기를 소문내고 다녀서 사람들을 곤란하게 만들었어요.'라고 했어요. 따라서 동네 사람들이 수다쟁이 부인을 싫어한 이유는 비밀 이야기를 소문내고 다녔기 때문이라는 것을 알 수 있어요.
정답 **소문**

5 ◉정답 풀이 '미끄러지거나 넘어지거나 주저앉아서 엉덩이로 바닥을 쾅 구르는 짓'이라는 뜻을 가진 낱말은 '엉덩방아'예요. '엉덩방아'는 항상 뒤에 '찧다'

라는 말과 함께 쓰여, '엉덩방아를 찧다'로 표현되는 특징이 있답니다. 정답 **엉덩방아**

> 알아두면 도움이 돼요!

"항상 같이 쓰이는 말"

'엉덩방아를 찧다'처럼, 우리말에는 어떤 낱말이 오면 반드시 뒤에 어떤 낱말이 따라 와서, 함께 쓰는 말들이 있어요.
① 눈도장을 찍다.: 누군가에게 확실히 자신의 존재를 알릴 때 쓰는 말이에요.
② 딴죽을 걸다.: 이미 약속한 일을 약속하지 않은 것처럼 굴면서 하지 않을 때 써요.
③ 거드름을 피우다.: 겸손하지 않고 거만한 태도를 보일 때 써요.

6 ◉정답 풀이 남편은 수다쟁이 아내가 사람들에게 금덩이가 있다고 소문을 내서, 금덩이를 도둑맞게 될까봐 두려워했어요. 그래서 주먹밥이 열리는 나무를 만들어, 아내를 거짓말쟁이로 만든 것이지요. 사람들이 아내가 금덩이가 있다고 말해도 믿지 못하도록 하려고 말이에요. 정답 ②

 어휘력 체크체크 1. ②   2. ②

1. 그리스   2. 미루지   3. ④   4. 낮, 밤
5. ②   6. ②   7. 절약   8. ②
9. (1) ○, (2) ○, (3) ✕   10. ③

1 〔정답 풀이〕 1문단의 첫 번째 문장에서 '어제는 그리스 설화를 모은 책을 읽었습니다.'라고 했어요. 따라서 내가 읽은 이야기는 그리스 설화인 것을 알 수 있어요. 〔정답〕 **그리스**

2 〔정답 풀이〕 새들은 삼나무가 자라려면 아직 시간이 많이 남았다며 태평하게 지내다가 농부에게 잡혔어요. 3문단에서 '나도 새들처럼 할 일을 미루고'라고 했어요. 따라서 이 글에서는 '오늘 할 일을 내일로 미루지 말자.'는 교훈을 얻을 수 있지요. 〔정답〕 **미루지**

3 〔정답 풀이〕 2문단에서 '그런데도 새들은 삼나무가 자라려면 아직 시간이 많이 남았다며 태평하게 지냈습니다.'라고 했어요. 따라서 새들이 태평하게 지낸 이유는 삼나무가 자라려면 시간이 많이 걸릴 것이라고 생각했기 때문이라는 것을 알 수 있어요. 〔정답〕 ④

4 〔정답 풀이〕 1문단에서 동지는 '일 년 중에서 낮이 가장 짧고 밤이 가장 긴 날입니다.'라고 했어요. 〔정답〕 **낮, 밤**

5 〔정답 풀이〕 2문단에서 '동짓날에 해 먹는 특별한 음식은 팥죽입니다.'라고 했어요. 따라서 동지와 관련 있는 그림은 ②예요. 〔정답〕 ②

6 〔정답 풀이〕 2문단에서 동짓날 마을 사람들이 팥죽을 쑤어 나누어 먹었다는 내용이 나와요. 3문단에서는 사람들이 모여 이야기를 나누고 함께 놀았다는 내용이 나오지요. 따라서 동짓날에 우리 조상들은 가족, 이웃들과 따뜻한 마음으로 정을 나누었음

을 알 수 있어요. 〔정답〕 ②

7 〔정답 풀이〕 3문단에서 '우리는 지금부터라도 물을 절약하는 습관을 길러야 한다.'라고 했어요. 따라서 빈칸에 들어갈 말은 '절약'이에요. 〔정답〕 **절약**

8 〔정답 풀이〕 '소중하다'는 '매우 귀중하다.'라는 뜻이에요. 따라서 '귀중하다'를 '소중하다' 대신에 쓸 수 있지요. 참고로 '귀중하다'는 '귀하고 중요하다.'라는 뜻이랍니다. 〔정답〕 ②

9 〔정답 풀이〕 (1) 1문단에서 '물이 없으면 깨끗하게 씻을 수 없어 병에 걸릴 위험도 높아진다.'라고 했어요. 물이 부족하면 병에 걸릴 가능성이 높아지는 것이지요.

(2) 1문단에서 '전기를 만들 때에도, ~ 물이 사용된다.'라고 했어요. 물을 사용해서 전기를 만들 수 있음을 알 수 있어요.

(3) 2문단에서 '우리나라는 세계의 여러 나라들보다도 물 사용량이 훨씬 많은 나라가 되었다.'라고 했어요. 따라서 우리나라가 세계에서 물 사용량이 적은 편이라고 한 것은 잘못된 내용이지요.

〔정답〕 (1) ○, (2) ○, (3) ✕

10 〔정답 풀이〕 3문단에서 '양치질을 할 때에는 컵을 사용해서 물이 낭비되지 않도록 해야 한다.'라고 했어요. 물을 아끼기 위해서는 물을 컵에 받아서 사용하여 물이 낭비되는 것을 막아야 해요. 〔정답〕 ③

〔어휘력 체크체크〕 1. 필수   2. 사소한

1. (1) 한글, (2) 훈민정음   2. ②   3. ①

4. 혹   5. (ㄱ) 2, (ㄴ) 1, (ㄷ) 3, (ㄹ) 4

6. ②

---

1 ◎ 정답 풀이 1문단의 첫 번째 문장에서 '우리나라의 글자를 한글이라고 합니다.'라고 했어요. 그리고 두 번째 문장에서 '한글의 옛 이름은 훈민정음인데'라고 했지요. 따라서 우리나라 글자의 현재 이름은 '한글'이고 옛 이름은 '훈민정음'이에요.

정답 (1) 한글, (2) 훈민정음

알아두면 도움이 돼요!

'훈민정음'의 뜻

한글의 옛 이름은 '훈민정음'이에요. '훈민정음'이라는 말은 '백성을 가르치는 바른 소리.'라는 뜻을 가지고 있지요. 글자를 안다는 것은 책을 읽을 수 있다는 것이고, 책을 읽을 수 있다는 것은 지식을 얻고 현명해질 수 있다는 것을 의미한답니다. 세종대왕께서는 백성들이 글자를 배워서, 책을 통해 지식을 얻어 더 현명해지기를 바라셨어요. 그래서 글자의 이름을 이렇게 지었답니다.

2 ◎ 정답 풀이 2문단의 첫 번째 문장에서 '훈민정음은 만든 방법이 매우 과학적이어서 누구라도 쉽게 배울 수 있는 글자입니다.'라고 했어요. 따라서 우리나라 글자의 특징을 바르게 말한 사람은 ②예요.

정답 ②

3 ◎ 정답 풀이 1문단의 여섯 번째 문장에서 '글자를 모르면 책을 읽을 수도 없고, 자신의 생각을 글로 표현할 수도 없습니다.'라고 하여 당시 우리 백성들이 글을 읽지도, 쓰지도 못했음을 알 수 있어요. 그리고 일곱 번째 문장에서 '세종대왕은 이런 백성들이 안타까워 직접 글자를 만들어 발표하였습니다.'라고 했지요. 이를 통해 세종대왕이 글을 읽지 못하는 백성들을 안타깝게 여겨 글자를 만들었다는 것을 알 수 있어요.

정답 ①

4 ◎ 정답 풀이 도깨비들은 혹부리 영감님이 혹을 만지는 것을 보고, 영감님의 노래가 '혹'에서 나온다고 생각했어요.

정답 혹

5 ◎ 정답 풀이 혹부리 영감님은 땔감을 하러 산에 갔다가 길을 잃고, 도깨비들을 만났어요. 도깨비들이 노래하고 춤추는 것을 보고 흥이 난 영감님은 함께 노래했지요. 영감님의 노래가 마음에 든 도깨비들은 노래가 혹에서 나온다고 생각하고 혹을 떼어 갔고, 대신 보물을 주었어요. 혹부리 영감님은 부자가 되었고, 마을에 소문이 났답니다.

정답 (ㄱ) 2, (ㄴ) 1, (ㄷ) 3, (ㄹ) 4

6 ◎ 정답 풀이 또 다른 혹부리 영감님은 노래를 잘하지 못했어요. 그래서 도깨비들은 "이 영감님은 보물을 얻으려고 우리에게 온 것이구나! 욕심쟁이 영감님 같으니라구! 지난 번 혹까지 가져가 버려라!"라고 했지요. 따라서 도깨비들이 또 다른 혹부리 영감님에게 혹을 붙여 준 것은 보물을 얻으려고 도깨비들을 찾아온 영감님의 마음(욕심)을 눈치챘기 때문이에요.

정답 ②

어휘력 체크체크   1. 장단   2. 둘레   3. 무리

1. **아픈 사람**	2. **수술**	3. ③	4. **음식물**
5. (ㄱ) **추가**, (ㄴ) **재활용**		6. ①, ③	
7. (1) **정보**, (2) **아름다움**		8. (1) X, (2) X, (3) O	
9. ①	10. ②		

1 ◉ 정답 풀이 나율이는 '저는 아픈 사람을 낫게 해 주는 의사 선생님이 되고 싶어요.'라고 했어요.

정답 **아픈 사람**

2 ◉ 정답 풀이 나율이는 '저번에 삼촌이 수술을 받으셨을 때 의사 선생님들이 가장 멋있다고 생각했어요.'라고 했어요. 따라서 나율이가 의사 선생님이 가장 멋있다고 생각한 때는 수술을 할 때예요. 정답 **수술**

3 ◉ 정답 풀이 나율이는 '그런데 의사 선생님이 되려면 어떻게 해요?'라고 물었어요. 따라서 나율이와 엄마가 서점에 가서 찾을 책은 의사 선생님이 되는 방법을 알려 주는 책이에요.

정답 ③

4 ◉ 정답 풀이 이 글은 버려지는 음식물을 줄이자고 주장하는 글이에요. 정답 **음식물**

5 ◉ 정답 풀이 (ㄱ) 더 먹을 사람에게만 더 주자고 할 때 적절한 낱말은 '추가'예요. (ㄴ) 먹고 남은 음식물을 사료나 퇴비 같은 자원으로 다시 사용하자고 할 때 적절한 낱말은 '재활용'이에요.

정답 (ㄱ) **추가**, (ㄴ) **재활용**

6 ◉ 정답 풀이 이 글에서 글쓴이가 제시한 버려지는 음식물을 줄이는 두 가지 방법은 음식을 먹을 만큼만 요리하는 것과, 먹고 남은 음식물을 자원으로 다시 만들어 쓰자는 것이에요. 정답 ①, ③

7 ◉ 정답 풀이 1문단에서 '지도는 여러 가지 정보를 알려 주는 것이 중요하기 때문에'라고 했어요. 그리고 '풍경화는 아름다움을 잘 표현하는 것이 중요하므

로'라고 했지요. 따라서 지도는 여러 가지 정보를 알려 주고, 풍경화는 아름다움을 표현한다는 것이 차이점이에요. 정답 (1) **정보**, (2) **아름다움**

8 ◉ 정답 풀이 (1) 1문단에서 '그런데 땅 위에 있는 것들을 모두 그린다고 지도가 되는 것은 아닙니다.'라고 했어요. (2) 2문단에서 '일반적으로 지도는 여행을 할 때나 길을 찾아갈 때만 필요한 것 같지만 지도가 필요한 경우는 그 외에도 많습니다.'라고 했어요. (3) 4문단에서 '이처럼 지도는 우리 생활 가까이에서 언제나 우리와 함께하고 있습니다.'라고 했어요. 이 말은 '지도는 우리 생활 가까이에서 자주 이용된다.'와 같은 뜻이에요. 정답 (1) X, (2) X, (3) O

9 ◉ 정답 풀이 '쓰이는 용도나 정도.'라는 뜻으로, 빈칸에 공통적으로 들어갈 수 있는 낱말은 '쓰임새'예요.

정답 ①

알아두면 도움이 돼요!

"'-새'로 끝나는 낱말들"

'쓰임새'처럼, 우리말에는 '새'로 끝나면서 모양, 상태, 정도를 나타내는 말들이 있어요.
① 걸음새: '걸음을 걷는 모양.'이라는 뜻이에요.
② 매무새: '옷, 머리 따위를 매만지거나 손질한 모양.'이라는 뜻이에요.
③ 모양새: '겉으로 보이는 모양의 상태.'라는 뜻이에요.

10 ◉ 정답 풀이 3문단에서 일반도는 '많은 지리 정보를 정확하고 자세하게 그려 놓은 지도'라고 했어요. 이것은 특별한 주제를 중심으로 그린 주제도가 아니에요. 정답 ②

 어휘력 체크체크 1. **정보** 2. **특정**

1. 역할   2. 먼지   3. ③

4. (1) 접시, (2) 호리병   5. (ㄱ) 2, (ㄴ) 1, (ㄷ) 3

6. 엿보았어요   7. ④

---

1 ◎ 정답 풀이 이 글은 우리 몸의 곳곳에 털이 있다는 것과, 털의 역할이 무엇인지를 설명하고 있는 글이에요.   정답 **역할**

2 ◎ 정답 풀이 3문단의 다섯 번째 문장에서 '코나 귀 안의 털은 먼지가 속으로 들어가지 못하도록 걸러 주는 역할을 해요.'라고 했어요. 그리고 여섯 번째 문장에서 '그렇게 걸러진 먼지들은 코딱지나 귀지가 되지요.'라고 했지요. 따라서 코와 귀 안의 털은 먼지를 거르고, 걸러진 먼지는 코딱지나 귀지가 되는 것을 알 수 있어요.   정답 **먼지**

3 ◎ 정답 풀이 3문단의 세 번째 문장에서 '눈썹은 이마로부터 흘러내리는 땀이 직접 눈에 들어가지 못하도록 막아 주는 역할을 한답니다.' 라고 했어요. 땀이 직접 눈에 들어가지 않게 막아 주는 것은 머리카락이 아니라 눈썹의 역할이에요.   정답 ③

4 ◎ 정답 풀이 여우는 두루미에게 '납작한 접시'에 담긴 수프를 대접했고, 두루미는 여우에게 '기다란 호리병'에 담긴 고기를 저녁 식사로 대접했어요.
    정답 (1) **접시**, (2) **호리병**

5 ◎ 정답 풀이 두루미를 시기했던 여우는 두루미가 잘 먹지 못하도록 수프를 납작한 접시에 담아 대접했어요. 두루미는 나중에 친구로부터 여우가 일부러 접시에 음식을 주었다는 것을 알게 되었지요. 그 후 두루미는 여우를 저녁 식사에 초대해서, 여우가 먹을 수 없도록 기다란 호리병에 고기를 담아 주었어요. 여우는 고기를 먹을 수 없었지요.
    정답 (ㄱ) **2**, (ㄴ) **1**, (ㄷ) **3**

6 ◎ 정답 풀이 '무엇을 이루고자 온 마음을 쏟아서 눈여겨보다.'라는 뜻을 가지고 있는 낱말은 '엿보다'라고 써요. 따라서 '엿보았어요'가 바르게 쓴 것이에요.   정답 **엿보았어요**

7 ◎ 정답 풀이 두루미에게 골탕을 먹이려던 여우는 똑같은 방법으로 두루미에게 골탕을 먹었지요? 우리는 이 이야기 속 여우의 모습을 통해서, 다른 사람에게 나쁘게 행동하면 자기도 똑같이 나쁜 행동을 당하게 된다는 교훈을 얻을 수 있답니다.   정답 ④

어휘력 체크체크   1. **시기**   2. **골탕**

어휘력 쑥쑥 테스트   01. **이물질**   02. **땔감**   03. **호롱불**
04. **태평**   05. **역할**   06. **유일**
07. **업적**